Scarpette Rosa

progetto grafico della copertina e illustrazioni: Sara Not

progetto grafico dell'interno: Gaia Stock

© 2005, Edizioni EL, San Dorligo della Valle (Trieste)

ISBN 88-477-1635-7

www.edizioniel.com

A PASSO DI DANZA

Edizioni EL

L'Accademia è una scuola di danza da romanzo, con regole da romanzo, in cui succedono cose da romanzo. Assomiglia a tante scuole di danza vere, ma non è nessuna di loro. Vera, invece, è la fatica che ciascuno dei protagonisti ci mette per inseguire il suo sogno.

UN GIORNO COME GLI ALTRI

— E uno, e due, e tre, e quattro. E uno, e due, e tre, e quattro. Anna, attenta al polso. Francine, le spalle. E tre, e quattro...

Zoe odia i *plié*. Li ha sempre odiati, da quando era una bambinetta di sette anni. Non ne ha mai capito il senso. E poi nei *plié* i suoi piedi hanno la spiacevole tendenza a cadere verso l'interno. *Plaf*, molli e cascanti come non devono essere.

— Zoe, raddrizza i piedi. Ben piatti. Piatti, capito?

Ecco, appunto. Piatti come piattini. Piatti come sogliole schiacciate sul pavimento di legno. Zoe s'immagina una lunghissima fila di sogliole, piuttosto morte, disposte a distanza regolare, in tre file, tutte con l'occhio appannato. Di loro Madame Olenska sarebbe contenta, vero? Piú piatte di cosí.

Le viene da ridere, ma riesce a trasformare la risatina in

un colpo di tosse. Madame Olenska la fulmina *comunque* con lo sguardo. Non si tossisce, non si starnutisce, non ci si grat-
ta, non si ride. Si può respirare, prego?
Ci sono giorni in cui la risposta è solo e sempre «no».

Zoe sbuffa, ma molto piano, soffiando con il naso, come
se le prudesse. E intanto va su e giú, su e giú, un piccolo
ascensore telecomandato dalla musica e dagli ordini di
Madame Olenska. Dopo un po' non ci pensa piú, e si accorge che non ci sta piú pensando, e allora si dice, come
succede sempre, che in fondo va bene cosí. Se il suo corpo
fa le cose che deve fare, ed è bravo e obbediente (quasi sempre, almeno), come mai è la sua testa a essere cosí ribelle?

Questione di personalità, probabilmente. Zoe sbircia
nello specchio, appena appena, approfittando di una breve *renversée*, la faccia vuota e perfetta, da bambolina, di
Laila. Lailà, con l'accento sulla «a», perché *mademoiselle* è
francese. Lei non si ribella mai. Non tossisce, non si grat-
ta, non chiacchiera. E tutto quello che fa è perfetto, cosí
perfetto che non le costa nulla e non le fa provare nulla:
basta guardarla.

Be', comunque Zoe non ha mai pensato di fare cambio
con lei. Anche se Laila è la piú brava di tutte, e quindi la

cocca di Madame Olenska. Sembra davvero una bambola di quelle con la chiavetta nella schiena, che le dai la carica e si muove sempre nello stesso modo, con la stessa sequenza di gesti, pensata da qualcun altro. Zoe è contenta di essere una bambina vera, una che sbaglia, pasticcia e fa confusione. Anche se non è perfetta, e lí all'Accademia «perfezione» è una parola scolpita a lettere d'oro e brillanti sopra tutte le porte, una parola che luccica, ed esige che luccichi anche tu.

Clap, clap, clap. Con tre battiti di mani, Madame Olenska spezza l'incantesimo. – La lezione è finita, potete andare, *au revoir*, – dice, come tutti i giorni. E loro, in un coro cantilenante, rispondono: – *Au revoir, Madame* –. A Zoe la dolce erre francese non viene tanto bene, anche se ci ha provato mille volte, a dirla giusta, davanti allo specchio. Naturalmente a Laila quelle parole scivolano di bocca dolci come il miele, un miele francese. *Miel.* Ma pazienza: fuori dalla porta si possono scrollare le spalle, si può fare una boccaccia di nascosto... nessuno farà la spia, Laila è antipatica a tutti.

Un braccio s'infila sotto quello di Zoe: è Leda. – Ce l'hai ancora con lei? – le sussurra, mettendosi al passo con l'amica. Fa fatica, perché è alta, è cresciuta tutta in un colpo e sembra già un'adolescente, mentre Zoe ha ancora la struttura e le misure di una bambina. È strano: sono state pari per tanti anni, e adesso Leda è partita come un missile, sembra che il suo corpo abbia fretta. Lei no: è sempre la stessa. E fra loro non è cambiato niente.

– No, non ce l'ho con lei, – ammette Zoe, quasi a forza. – Ce l'ho con me che ce l'ho con lei. Voglio dire, è stupido. Lei è cosí Laila che non può farne a meno, non è colpa sua.

– Anzi, magari le dispiace anche, di essere com'è. Che cosa ne sappiamo, in fondo? – dice Leda, comprensiva. Cara Leda, cosí gentile dentro. Non è buona e basta, buona in un modo banale: è proprio gentile, attenta agli altri, ai loro sentimenti. Anche per questo Zoe le vuole tanto bene.

Il discorso si chiude qui, non c'è piú tempo. Fino a questo momento sono stati tutti molto quieti, molto tranquilli: non si corre per i corridoi dell'Accademia. Ma ora che sono sulla soglia degli spogliatoi, i maschi da una parte e le femmine dall'altra, è come se calasse su di loro una febbre, una frenesia che li trasforma di botto: ci si spinge, si fa ressa, si corre verso le panche dove i vestiti aspettano, piú o meno ordinati, ficcati dentro le grandi borse a tasche appese agli attaccapanni. Adesso non importa se una calza sarà rovescia, se il colletto della camicia resterà sepolto dentro il golfino: perfezione è una parola scolpita solo dentro l'Accademia. Fuori, nel mondo, nessuno bada a queste cose.

E poi è ora di tornare a casa.

Zoe non si è ancora del tutto abituata al senso di orgoglio che le avvolge la gola, come una sciarpa stretta, tutte le mattine quando s'infila sotto il portico laterale dell'Accademia di Ballo, la sua scuola, la scuola piú importante della città, del paese e quasi quasi del mondo, ed entra dall'ingresso degli artisti. Anche se ormai succede da cinque anni. Ma a certe cose forse non ci si abitua mai.

Uscire, certo, non fa lo stesso effetto: quando esci, corri verso la vita normale, amici, famiglia, un po' di giochi. È il percorso contrario, arrivare, che le fa venire i brividi. Adesso invece, mentre esce, va verso la fermata dell'autobus e aspetta, da sola, che passi il numero giusto, prova un'altra sensazione, altrettanto familiare e precisa: un piccolissimo, dolcissimo sollievo. Arriverà a casa (sempre da sola: è una conquista fresca di quest'anno, e andare in giro cosí, come una persona grande, la emoziona ancora) e suonerà il campanello, una volta sola, e la mamma le aprirà la porta e la abbraccerà. È bello sapere in anticipo che questo succederà. Poi ci sarà la merenda, magari una torta, dei biscotti di pastafrolla, e un po' di televisione. La mamma si siederà vicino a lei, lo fa tutte le volte che ha tempo e il tempo lo trova quasi sempre, e guarderanno senza pensarci troppo quei cartoni di streghe e fatine che sono un po' tutti uguali. Zoe si svuoterà la testa seguendo distratta il turbine di colori, polverine magiche, incantesimi, perché non c'è una vera storia da seguire, ma solo un grumo di immagini, e piano piano, quasi senza accorgersene, scivolerà verso la mamma, fino ad appoggiarsi tutta contro la sua spalla, come un bradipo molle di sonno e avido di coccole. E in quel momento...

— Mamma, perché vuoi bene solo a Zoe?

Da qualche mese è la frase preferita di Marta, e Zoe non sa mai se sorridere o provare un po' di fastidio. Certo, Marta è piccola, bisogna capirla: sono sei anni che bisogna capirla, e Zoe si è abituata, anche se non è sempre facile. La frase è seguita da un tonfo sul divano, e nell'abbraccio morbido che la legava alla mamma s'insinua una presenza piccola ma insistente. Marta si fa strada fra loro come un bruco ostinato, contorcendosi fino a separarle. Sarà gelosa davvero? O è solo un gioco, anzi, un piccolo rito, come quello che lega lei e la mamma?

— Lo sai che voglio bene uguale a tutte e tre, — dice la mamma, con l'aria di chi ripete un ritornello senza nemmeno pensare alle parole. — Lo sai, vero?

— Sí, però voglio vedere i cartoni con voi.

Il duo diventa un trio, e piano piano scivola nella mollezza di prima, cullato da un'incomprensibile sigla giapponese che Marta canta a memoria, sillabando suoni assurdi con assoluta precisione.

– Oh, guarda un po', l'asilo al completo –. Zoe si sente un'ombra addosso, un'ombra che le sfiora la guancia con un bacio tiepido. Sarà sincero, quel bacio? Non lo sa.

Una volta lei e Sara erano davvero amiche. In fondo le separano solo tre anni, sono sempre state vicine, stessa stanza, stessi giochi, e Sara che la truccava e la travestiva come se fosse la sua bambola viva e la mostrava con orgoglio alle sue amiche, un po' invidiose perché avevano solo fratelli maschi, poverine. Poi le cose sono cambiate. Zoe è entrata all'Accademia, è arrivata Marta. Una nuova casa con una stanza per ciascuna, vite diverse, impegni diversi. E Sara ormai è grande, adesso si trucca per davvero, anche se di nascosto e guai a fare la spia, del resto Zoe non se lo sognerebbe mai, è Marta, semmai, quella che parla troppo. Ma fra loro due è sceso una specie di riserbo, come se fossero due compagne di banco messe vicino un po' per sbaglio da una maestra distratta, senza niente in comune, senza nessuna voglia di scoprire se hanno qualcosa in comune: tutto quello che c'era e non c'è piú.

— Vieni qui anche tu, dài, — dice la mamma a Sara, che si lascia cadere sul divano con un piccolo sbuffo e permette a Marta di scivolare fuori dalla sua cuccia e premersi addosso a lei. Sono tutte vicine, per un po'. Poi scorre la sigla finale dei cartoni e Marta striscia via. — Devo andare a giocare, adesso —. Ecco, l'attimo è svanito: anche Sara si alza e se ne va, senza dire niente. Ancora qualche istante, e la mamma la seguirà. Ma intanto è ancora lí, tutta per Zoe.

È sempre Zoe quella che aiuta a preparare la tavola, di sera. Uno dei vantaggi dell'Accademia è che quando si torna a casa non ci sono compiti da fare, almeno durante la settimana. Per il lunedí c'è da studiare, ma sabato e domenica c'è a casa il papà, e in quei giorni si occupa della cucina dall'inizio alla fine, spesa e fornelli e tavola. La sua pasta al forno è la piú buona del mondo.

Ma siccome è un giovedí sera, è Zoe che sceglie il colore dei tovaglioli di carta, in modo che s'intonino alla tovaglia, e pensa anche a tutto il resto. Intanto chiacchiera con la mamma, per un altro lungo momento insieme.

— Come sta Leda? — le chiede la mamma. Si versa un bicchiere di vino bianco e si siede, rilassata. — È un po' che non la inviti.

– Io la invito, – dice Zoe. – Ma è lei che dice di no. Credo che non le piaccia sentirsi osservata, adesso.

– Già. La capisco. Ma stai tranquilla, se viene non mi metterò a fissarla come se fosse uno strano animale. Certo che è buffo...

– Cosa?

– Che si chiami proprio Leda. Il suo nome viene da un mito greco, lo sai? Era una ragazza molto bella di cui si era innamorato Zeus. E per conquistarla lui si è trasformato in un cigno...

– Le ballerine sono tutte un po' cigni, no? – dice Zoe. Si ricorda bene di quando era piccola, aveva cinque anni, ed era andata per la prima volta a vedere un balletto con la famiglia, e non era il *Lago dei cigni*, no, era *Giselle*, ma le ballerine col tutú bianco lungo e quelle braccia morbide e mobili le erano sembrate tutte cigni che scivolano su un lago.

– Oh, sicuro, – dice la mamma. – Un nome molto appropriato. Ma forse lei adesso si sente piú un brutto anatroccolo.

– Meglio lei di Anna, comunque. Almeno ha ancora una bella pelle liscia, insomma, normale. Anna è tutta piena di bolle, poverina. E non tocca un cioccolatino da mesi.

– Mi dispiace per lei, – dice la mamma. – Quando eravate piccole tutti questi problemi non c'erano.

– No, è vero, – dice Zoe. – Bastava essere brave.

– Ed eravate tutte brave, all'inizio. Brave e carine e piene di vita e di voglia di diventare ancora piú brave. Adesso cominciano le vere differenze. Oh, accidenti, bolle l'acqua.

La mamma si alza per occuparsi della pasta. Zoe scivola via dalla cucina. Si ferma davanti allo specchio lungo del corridoio, e quello che vede la tranquillizza. C'è una bambina che la guarda, né alta né bassa, piú magra che grassa ma non troppo magra: normale. Le gambe sono lunghe, lo si vede anche dentro i jeans. E i polsi che sporgono dalla felpa sono sottili. I capelli chiari sono ancora tirati in uno chignon stretto, come impone la scuola, ma alcune ciocche sono scivolate via dalla stretta delle forcine e le addolciscono i contorni del viso, che è un po' lungo, con gli zigomi appuntiti. Occhi nocciola, grandi. Occhi di miele, dice il suo papà. Sopracciglia dolci. La stessa pelle liscia di Marta, con le stesse lentiggini.

Cambierai? dice la Zoe di qua alla Zoe di là. Certo che cambierai, ma quanto? E come? Un po' è curiosa, Zoe, di scoprire che cosa le succederà. Un po' ha paura. Ma sa che non può farci niente: è solo il tempo che passa.

L'ALBUM

— Guarda che faccia buffa che avevi qui: sembri un fantasmino.

— Stupida, è la luce. I riflettori fanno sempre quell'effetto, se non sei truccata. E le bambine non si truccano, lo sai.

— Io infatti non ho quella pelle da zombie, guarda. La mamma mi aveva truccata di nascosto...

— Davvero? E non se n'è accorto nessuno?

— Madame Olenska era troppo nervosa per notarlo. Era convinta che il saggio sarebbe stato un disastro. Ti ricordi che ci chiamava «il corso delle Pasticcione»? Diceva che non aveva mai avuto un primo corso cosí sghangherato, *Mon Dieu...* — Leda si appoggia il dorso della mano alla fronte e getta indietro la testa in una passabile imitazione di Madame nei suoi momenti piú teatrali. Zoe ride, adesso ride, ma a ripensarci le pare di non essere riuscita a fare nemmeno una risatina piccola cosí, in quel primo anno cosí lontano. Aveva troppa paura.

È sabato pomeriggio. Lei e Leda stanno sfogliando l'album delle fotografie a casa della nonna. Mamma e papà cercano di non dare troppo peso agli studi di Zoe, e lei sa che è per non far diventare gelose Marta e Sara (che ci pensano già da sole, a essere gelose). Quindi a casa c'è solo una foto incorniciata di Zoe nella sua prima, semplicissima tutina nera, vicino a una di Marta in costume da bagno e a una di Sara con la tuta da sci: hanno tutte e tre la stessa età e non si somigliano per niente, un po' per via dell'abbigliamento, un po' perché è cosí e basta. Le altre foto che raccontano la vita di Zoe all'Accademia sono relegate dentro buste chiuse nell'ultimo cassetto del comò in corridoio, divise anno per anno, saggio per saggio. Qualche volta lei e la mamma le guardano, di solito quando aggiungono la nuova busta, ma solo se non c'è nessun altro in casa.

Ma adesso è come se lei e Leda fossero in una specie di terra di nessuno (la casa della nonna lo è) dove si possono fare le cose che altrove sono proibite: mangiare anche dieci caramelle di fila, guardare anche due videocassette di fila, pattinare scalze lungo il corridoio di marmo lucidissimo, e, appunto, sfogliare l'album di fotografie della danza che la nonna tiene in segreto, facendosi passare le copie delle foto piú belle e impaginandole con cura: qui aggiunge una frase pensata da lei o il verso di una poesia, lí mette un disegnino a pastello, una coroncina di fiori, un paio di scarpette.

La nonna è meravigliosa: c'è ma non si vede. Ha portato il tè con i pasticcini (lingue di gatto, ricoperte di sontuoso cioccolato) ed è sparita, lasciandole sole, con un'unica raccomandazione: — Non voglio impronte sull'album —. Cosí loro hanno prima divorato le lingue, poi si sono leccate bene le dita, come gattini puliti, e hanno cominciato a sfogliare.

La foto del primo saggio, quella con Zoe fantasmino e Leda truccata di nascosto, rivela moltissimo di quel primo anno all'Accademia. Zoe ricorda vagamente le prove d'ammissione, alla fine della scuola materna: era estate, e nel ricordo glielo dice la luce trattenuta a fatica da pesanti tende scure nella grande sala dove tante bambine come lei si muovevano libere su un tappeto di musica. La richiesta era stata quella: — Muovetevi, fate come volete, correte, saltate. Libere —. Lei lo faceva sempre, a casa, tutte le volte che partiva una musica, dal lettore CD come dalla radio o dalla televisione: quindi le era venuto naturale rifarlo anche

Scarpette Rosa
17

sotto occhi sconosciuti. Tanto si capiva
che era un gioco. Poi c'era stata la visita
medica, ma quella non se la ricorda, è
solo che sa che così vanno le cose.

Poi, una sera, era poco prima di par-
tire per il mare, e Zoe l'ha bene in mente perché vagava per
le stanze scalza reggendo con tutte e due le mani il salva-
gente nuovo rosa gonfiato, la mamma aveva annunciato:
– Ti hanno preso, tesoro. Da settembre vai all'Accademia, –
e l'aveva abbracciata forte.

Tutto qui. A settembre le cose nuove erano state tante: la prima elementare (alla scuola dell'Accademia, ma
insomma, per lei era la scuola e basta) con la fatica di rispettare le regole, stare seduta attenta e concentrata un
sacco di tempo. Per fortuna sapeva già leggere e scrivere
un po', quindi era stato abbastanza facile. Poi c'era il corso, il meraviglioso corso per diventare ballerine. Quando
le avevano dato la tutina nera, così semplice, più semplice di un costume da bagno intero molto semplice, c'era
rimasta un po' male. Le scarpette no, quelle non l'avevano delusa: erano di pelle leggera, rosa chiaro, con i nastri
per allacciarle strette e ben ferme. Belle.

C'era rimasta male anche a lezione, all'inizio: insomma,
negli esercizi che facevano, sempre gli stessi, non c'era

niente che assomigliasse alla faccenda dei cigni sul palcoscenico. E Madame Olenska l'aveva detto subito: – Fatica, fatica, fatica. Per diventare brave bisogna fare tanta fatica. Non guardatevi nello specchio, vedrete solo delle ochette pasticcione. *Pensate*. Le vostre braccia devono pensare, le vostre gambe devono pensare, i vostri piedi devono pensare...

A Zoe piccola era sembrato strano, che i piedi pensassero. Che cosa pensa un piede? Che gli dà fastidio la calzina arrotolata male? Che vorrebbe le unghie dipinte d'azzurro? Che gli piacerebbe tanto andare sempre scalzo, come d'estate, quando può stare nudo quasi tutto il giorno, tranne se deve calpestare strade e asfalto? Poi non ci aveva pensato piú, era troppo impegnata a guardare e ascoltare, e a un certo punto si era accorta che era proprio cosí, era come se i suoi piedi pensassero da soli, perché sapevano che cosa fare senza che lei glielo dicesse con la testa. E le cose erano diventate piú facili.

Piú facili. Non facili. Al pomeriggio, quando tornava a casa dopo la scuola e le lezioni di ballo, a volte era cosí stanca che crollava addormentata sul tappeto, davanti alla tivú. Qualche volta si svegliava direttamente la mattina dopo, nel suo lettino, miracolosamente in pigiama, e la mamma le diceva: – Stamattina devi fare una supercolazione, ieri ho cercato di svegliarti per la cena ma non ci sono riuscita –. Ma poi il suo corpo si era abituato a sopportare la fatica, e lei aveva smesso di addormentarsi di botto come un bambino piccolo. Era diventata grande anche cosí.

– Guarda un po' qui: si capisce che non sapevi dove andare... – La voce di Leda la riporta sul divano, adesso.

– E tu che ti guardi i piedi? Avevi paura che si staccassero e filassero via per conto loro?

A dire la verità sembrano tutte smarrite, quelle dieci bambine in tuta nera (sí, accidenti, la stessa di tutti i giorni, niente tutú per il primo corso) cosí piccole contro il nero immenso delle quinte e del fondale: quasi tutte hanno gli occhi incollati a un punto alla loro sinistra, ed è il posto dove stava Madame Olenska, ben nascosta al pubblico, cercando di pilotare la loro incertezza con i suoi gesti. Non che servisse a granché, a giudicare dalla loro aria persa. Ce n'è solo una che guarda dritto davanti a sé, solenne e sicura: Laila, naturalmente, riconoscibilissima, già perfetta.

– E questa chi è? – dice Zoe, indicando una bambina grassottella con i capelli neri neri. – Sembra Olivia la maialina –. Il commento è perfido, ma appropriato: è davvero un po' troppo grassa per fare la ballerina.

– Si chiamava... Barbara, mi pare. Sí, Barbara, e l'altra

Scarpette Rosa
20

è Julia. Non te le ricordi? — le dice Leda. — Julia piangeva sempre...

— Ah, è vero —. A volte veniva da piangere anche a lei,
ricorda Zoe, soprattutto allora: bastava una frase taglien-
te di Madame Olenska, o uno di quei suoi sguardi storti,
e solo con un enorme sforzo riusciva a trattenere le lacrime al loro posto. Vedeva tutto sfuocato, come annegato
per qualche secondo. Poi faceva un sospirone e tutto tornava normale. Quasi. Si andava avanti.

— Hanno lasciato tutte e due alla fine del primo corso... — dice Leda. — Noi no.

Si guardano e si sorridono. Loro no. Loro sono ancora
lí. Ce l'hanno fatta.

Con Leda non erano state amiche subito. All'inizio
Zoe era troppo concentrata sulle cose da fare e da imparare per guardarsi intorno. Gli altri bambini erano tutti un
po' uguali, soprattutto a lezione di danza, quando la di-
visa li trasformava e alla fine era ben chiara solo la distin-
zione fra maschi e femmine, uguale la tuta, diverse le
scarpe, nere per i maschi. Le bambine, rese simili anche
dalla pettinatura severa (allora erano due chignon, uno di
qua uno di là, difficilissimi da far stare su, le prime volte
sembravano involtini di forcine) erano davvero un tutto

indistinto. È stata Leda a farsi avanti, a cercarla: timida ma insistente.

– Ti ricordi quando mi hai regalato la gomma rosa di Hello Kitty? – le dice Zoe con affetto. – Era un po' consumata, ma mi piaceva tanto.

– Continuavi a guardarla senza dirmi niente. Guardavi piú lei che me, – sorride Leda.

– Però tu ci tenevi tantissimo. Infatti mi hai chiesto se te la lasciavo usare ancora, qualche volta.

– Era un regalo del papà, – dice Leda, e questa è una cosa che Zoe sa già, ma si capisce che lo fa apposta, Leda, a ripeterlo, solo per ascoltare le proprie parole. Il suo papà se n'è andato di casa due anni fa. Adesso ha un'altra famiglia e un bambino piccolo che Leda chiama «il mio fratellino», proprio come se lo fosse davvero. Nel senso che lo è, chiaro, ma si vedono cosí poco che è piú un'idea di fratellino. Almeno è quello che pensa Zoe, ma non lo direbbe mai. Leda è già cosí fragile per conto suo, senza che qualcuno da fuori si dia da fare per ferirla.

Comunque, da quel giorno della gomma rosa sono state inseparabili. Sono riuscite a farsi spostare nello stesso banco; si sono aiutate nella fatica di imparare a leggere il corsivo e di ripiegare per bene le calzine bianche sopra i lacci ben stretti delle scarpette; hanno sopportato insieme le frasi pungenti e le occhiatacce di Madame Olenska; si sono consolate a vicenda quando erano stanche o deluse da se stesse; una ha difeso l'altra dalle piccole perfidie quotidiane che Laila semina passando come i sassolini di Pollicino, solo che quelle, le sue cattiverie, non portano da nessuna parte, fanno male e basta. Adesso che stanno crescendo e Leda è partita per prima, e tanto in fretta, Zoe ha il sospetto che le cose non saranno cosí semplici, che non basterà piú una gomma regalata, un laccio per capelli prestato, uno sguardo d'intesa da un lato all'altro della sala per sistemare le cose. E infatti lei, che è sempre stata una chiacchierona, una che dice quello che pensa senza riflettere troppo, spesso si ritrova a trattenersi. È come se girasse intorno a Leda in punta di piedi, non nel senso delle scarpette a punta (che loro sono ancora troppo piccole per portare) ma nel senso di piano, senza far rumore, con la massima delicatezza. Per ora ha funzionato. Ma Zoe sa già che non funziona piú quando Leda le chiede di punto in bianco: – Pensi che diventerò troppo alta per essere un'*étoile*?

La domanda è venuta naturale: stavano guardando una foto del saggio del terzo anno, quando cinque di loro erano state scelte per fare i fiorellini nella coreografia della *Primavera* danzata da Mara Simone. Allora Mara Simone (si dice sempre cosí, ormai, nome-e-cognome) era all'ultimo anno, a un passo dal diploma, ma tutti sapevano già che sarebbe diventata una solista, lo diceva il suo modo di muoversi, la sua grazia, quella molle noncuranza nell'andare incontro alla perfezione. E loro, i fiorellini (Leda e Zoe, naturalmente, piú l'immancabile Laila, Sofia e Maria Luce) avevano un tale batticuore all'idea di trovarsi in scena con la stella. Naturalmente Zoe sa che questo è vero per lei e per Leda, ma perfino l'impenetrabile Laila in quei giorni trepidava, e il suo sguardo di solito impassibile diventava quasi di supplica in presenza di Mara Simone: guardami, *vedimi*, permettimi di diventare come te.

Si erano divertite, erano state felici. Intanto, finalmente avevano dei veri tutú, rosa e verdi, corti e a strati, e coroncine di piccoli fiori di seta sulla testa. I passi erano semplici (Madame Olenska li aveva scelti apposta per non correre il rischio che sbagliassero) e loro li avevano imparati in fretta. Il saggio era stato un trionfo. Quegli applausi, finalmente anche per loro.

Ma tutto questo non ha piú nessuna importanza, è passato, passatissimo, e nel presente c'è la domanda di Leda-brutto-anatroccolo che ha il sospetto di non riuscire a diventare un cigno, dopotutto. Si sa, le *étoiles* devono essere piccole: *petites*, come dice Madame Olenska. È difficile trovare un compagno solista capace di sollevare una cavallona di un metro e ottanta, per non parlare del peso. E c'è poco da fare diete, ossa e muscoli pesano, se sei troppo alta.

Ecco, è arrivato il momento: Zoe non sa cosa dire. Il papà di Leda è quasi due metri, praticamente un gigante, ed è anche grande e grosso. Sua mamma piccola non è. Se tra i nonni e i bisnonni non c'è qualche nanetto a pareggiare il conto, Leda è destinata a diventare parecchio alta. Finora è stata nella media, fra le piú alte, certo, ma nella media. Adesso supera già Zoe di tutta la testa.

Allora, che fare? Essere sincera? Mentire? Zoe esita un attimo di troppo. Ed è Leda a riprendere la parola: – Lo so, adesso mi dirai che posso sempre darmi alla danza moderna. Ma a me non me ne frega niente della danza moderna.

Zoe sussulta: Leda parla sempre cosí composto che «non me ne frega niente», detto da lei, sembra una parolaccia orrenda.

Leda non ci fa caso, non la sta nemmeno guardando. Continua, lo sguardo perso: – Io voglio fare la ballerina classica. E non voglio finire come ballerina di fila. Dell'*ultima* fila.

Parla piano, Leda, senza rabbia, senza concitazione. Come se queste cose se le fosse dette e ridette.

E Zoe non trova di meglio che abbracciarla, stretta stretta, senza dire un bel niente. Leda ha sempre un odore di camomilla cosí buono, cosí sommesso. Come lei.

– Avete finito di fare le nostalgiche, voi due? Santo cielo, a dieci anni siete lí a rimuginare sul passato...

La nonna entra senza far rumore, come sui pattini, portando un vassoio di frittelle. Carnevale è passato da un pezzo, ma a lei non piace rispettare le convenzioni. Si accorge subito che qualcosa non va, ma non fa domande. Si siede sulla poltrona, posa il vassoio e chiede a Leda: – Posso? – Poi le sfila di mano l'album, volta le pagine, si ferma. – Ecco, – dice. – Questa è la mia preferita. Perché si vede che siete felici.

È la foto del saggio dell'anno prima, il quarto corso. Il *clic* finale, per il ringraziamento. Quando si fa l'inchino bisogna sempre sorridere: è una delle mille regole di Madame Olenska. Ma i dodici sorrisi stampati sulla carta lucida sono cosí diversi, e cosí riconoscibili. Zoe non ha bisogno di guardare l'immagine per ricordarlo. In prima fila ci sono le otto bambine, in seconda i quattro bambini. Lei è la seconda da sinistra e piú che sorridere ride, come Madame Olenska non ha mancato di farle notare quando hanno guardato le foto tutti insieme, l'ultimo giorno di lezione prima dell'estate: – Sembri una iena, Zoe. Tutti quei denti. Troppi –. Lei poi è corsa a guardarsi allo specchio imitando quel sorriso e le è sembrato di avere una dentatura regolamentare, non *troppa*. E poi le iene ghignano, e sono perfide: in quel momento Zoe era contenta e basta. Però Madame Olenska ha sempre ragione. Anche Leda ride un po' troppo, ma nel suo modo dolce e timido che non sarebbe mai e poi mai paragonabile alla smorfia di una iena. Se un cerbiatto ridesse, ecco, lo farebbe cosí. E Leda ride perché in platea c'è il suo papà.

Il sorriso piú perfetto (si dice, piú perfetto? forse no, ma è assolutamente appropriato) è quello di Laila. È stata molto brava, Zoe deve ammetterlo. Ha interpretato anche un breve *pas de deux* con Francis, il bambino che viene dalla scuola dell'Opéra di Parigi e ha una tecnica spaventosa. Ha tutte le ragioni per sorridere.

– E quest'anno che cosa farete? – chiede la nonna.

Nessuna risposta. Ci sono bocche al lavoro, e frittelle squisite da addentare. Ancora parecchie. Solo dopo un lungo silenzio, Zoe finalmente inghiotte l'ultimo boccone, si lecca le labbra zuccherate e dice: – *La lezione di danza*. La nostra coreografia s'intitola cosí. È ispirata a un quadro famoso.

– Sicuro: Degas, – dice la nonna.

Zoe continua: – C'è il maestro, e gli altri fanno quello che si fa in una lezione vera. C'è chi sbaglia e viene sgridato, chi è bravo e viene lodato...

– Le solite cose, insomma, – interviene Leda, che ha finito la sua parte di merenda. – Come tutti i giorni.

– Aspettate che indovino: il maestro lo fa...

– Laila, – rispondono in coro Zoe e Leda.

– Meglio cosí: dev'essere una parte noiosissima.

– Sí, però ha il bastone... – dice Zoe.

– E naturalmente deve mostrare a tutti come si fanno le cose nel modo giusto, – spiega Leda.

– Certo che sarebbe stata piú divertente vestita da Madame Olenska...

Ridono tutte e tre, immaginando Laila avvolta in uno degli stravaganti caftani con turbante coordinato che la direttrice adora.

– Infatti lei è arrabbiata perché non le tocca il tutú. Piangerà tutte le sue lacrime, – dice Zoe.

– Povere tutte noi: se dobbiamo far finta di fare una

lezione, ci tocca ancora una bella tutina nera come il primo anno, – dice Leda.

– Non è detto, – dice la nonna. – Nel quadro le ragazze hanno dei veri tutú, bellissimi.

Zoe non dice niente, ma le brillano gli occhi. Demetra, la caposarta che prova molta simpatia per lei, le ha mostrato il disegno della loro tenuta da saggio: non è un tutú da prima ballerina, certo, ma è una deliziosa tutina grigio perla con un giro di tulle morbido e corto sui fianchi, orlato da un impercettibile bordo d'argento. Calze color gesso. Scarpette bianche. Un cerchietto d'argento in testa: una delizia. Però è ancora un segreto.

– Puoi sempre fare la modella. Sei cosí bella che gli stilisti faranno a botte per averti, – dice Zoe, di punto in bianco.

Stanno tornando a casa, insieme, a piedi. Abitano vicine, la prima a rientrare sarà Zoe, a Leda resteranno altre due strade da attraversare. A Zoe non sembrava giusto lasciare il discorso cosí, a metà, farsi zittire dalla dolcezza delle frittelle.

Leda non dice niente, subito. Continuano a camminare per un po'.

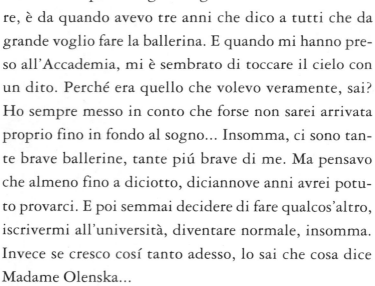

– È che mi sembra che sia durato troppo poco, – dice poi. – Tutto questo, intendo. Studiare danza mi è sempre sembrato un po' un sogno. Voglio dire, è da quando avevo tre anni che dico a tutti che da grande voglio fare la ballerina. E quando mi hanno preso all'Accademia, mi è sembrato di toccare il cielo con un dito. Perché era quello che volevo veramente, sai? Ho sempre messo in conto che forse non sarei arrivata proprio fino in fondo al sogno... Insomma, ci sono tante brave ballerine, tante piú brave di me. Ma pensavo che almeno fino a diciotto, diciannove anni avrei potuto provarci. E poi semmai decidere di fare qualcos'altro, iscrivermi all'università, diventare normale, insomma. Invece se cresco cosí tanto adesso, lo sai che cosa dice Madame Olenska...

– I rami secchi vanno tagliati subito, – recita Zoe, tetra, citando una delle frasi piú feroci della loro maestra.

– Lei non ci pensa due volte, a buttare fuori chi non funziona piú. Dice che è meglio cosí.

– E forse ha anche ragione, – dice Zoe, molto piano.

Una lunga pausa. Passi lenti, lenti.

– Ti ho sentito, sai, – dice Leda dopo un po'. – E lo

credo anch'io. Però vuol dire che forse mi toccherà diventare normale molto presto.

Non dicono altro. Si salutano in silenzio, con un abbraccio breve e forte, davanti a casa di Zoe. Lei sale e per tutta la sera non riesce a pensare ad altro. Alla malinconia tranquilla di Leda. Ai suoi desideri stropicciati.

i MISTERI DI MADAME OLENSKA

— Ma secondo te è sempre stata cosí?

— Cosí come?

— Non so, cosí *tremenda*.

— Forse era innamorata di un ballerino che è fuggito in America con un'altra.

— Un ballerino? Un coreografo, semmai. O un direttore d'orchestra, di quelli tutti spettinati, con l'aria pazza da Einstein.

— Che ha scelto la carriera invece dell'amore. E lei ha deciso di venire in Occidente da sola per dimenticare, e invece si ricorda benissimo.

— Sicuro. E per questo è cosí tremenda. Perché è una specie di vendetta inconscia.

— E noi, poveri agnellini, siamo le sue vittime innocenti.

— Innocenti non saprei. A volte ha ragione ad arrabbiarsi. Non è che la ascoltiamo proprio sempre...

– Sí, lo so. Però non dovrebbe strapazzarci davanti a tutti. È cosí umiliante.

– Sí, perché invece te l'immagini, essere chiamata da sola nel suo studio? Io morirei di terrore sulla soglia. Stecchita.

– Ma dài, non è come sembra. La mamma lo dice sempre, di non fermarsi alle apparenze.

E Zoe ha i suoi buoni motivi per dire che Madame Olenska non è come sembra. È un segreto fra loro due, una cosa successa tre anni fa. Era la fine del secondo anno, e Zoe negli ultimi mesi era andata malissimo. Non lo sa perché: forse un po' di stanchezza, forse un po' di gelosia, a casa, per Marta che era una bambina adorabile e adorata dalla mamma e dal papà. Forse solo la fatica di essere sempre all'altezza delle aspettative di tutti, brava Zoe, cosí autonoma, cosí coscienziosa. Forse si era stufata di essere la solita Zoe e cercava un po' di attenzione. In compenso la sua, di attenzione, volava fuori dalla finestra; e i piedi andavano per conto loro.

Cosí lei ci è finita davvero, un giorno, da sola nello studio di Madame Olenska. Alla fine della lezione la direttrice le ha posato una mano sulla spalla e le ha detto: – Tu vieni con me –. Poi l'ha spinta per il corridoio come un carrello del supermercato, svolta a destra, svolta a sinistra,

ancora a destra, l'Accademia è un labi-
rinto. La porta dipinta di verde, soc-
chiusa. Una spinta. Tutte e due dentro, da sole.

Zoe non c'era mai entrata, lí. È
una stanza grande, piena di luce, con lunghissime tende
bianche (i soffitti sono cosí alti) che il vento gonfia come
vele. C'è una libreria a tutta parete; un altro muro è coperto di grandi foto in bianco e nero; sul lato che resta libero c'è la scrivania, larga e imponente, con il piano di
cuoio verde e una lampada col paralume che sembra un
mosaico di vetro. Dev'essere bella, accesa: tutti quei colori illuminati da dentro...

– Siediti, – ha detto Madame Olenska. Inutile il suo
tentativo di distrarsi, di pensare ad altro.

Zoe si è seduta sull'orlo di una delle due alte sedie di
legno, la piú lontana dalla scrivania. Madame Olenska ha
fatto il giro e ha preso posto sulla sua poltrona. Diritta,
come sempre, la schiena eretta. Gli occhi scintillanti, cosí tremendamente azzurri. Ha intrecciato le dita, facendo
sfavillare i molti anelli che porta. Strano, lei che dice
sempre: «Niente gioielli, ragazze», e rispedisce negli
spogliatoi chi ha dimenticato di sfilarsi anche solo un minuscolo orecchino.

— Allora, — ha detto. — Ti voglio raccontare una storia.

Una storia? Zoe non ha nemmeno avuto il tempo di meravigliarsi. Madame Olenska ha aperto un cassetto e ha preso qualcosa. Ha posato il qualcosa proprio davanti a Zoe. Una foto in bianco e nero dentro una cornice di cuoio rossiccio. Una bambina magra con un gran sorriso, i capelli raccolti in cima alla testa e un tutú da favola, di quelli larghi e rigidi che all'Accademia qualunque bambina sognerebbe, — ma non sono ammessi, ovvio.

— Questa sono io alla tua età, — ha detto. E Zoe è trasecolata, ma cercando di non farsi notare: naturale che anche Madame Olenska sia stata una bambina, in qualche tempo e qualche mondo. Ma cosí... cosí normale, ecco. Tutú a parte.

— Io alla tua età ero appena entrata alla Scuola Superiore di Ballo di Leningrado. Allora si chiamava ancora cosí, adesso è San Pietroburgo, come al tempo degli zar. Venivo dalla provincia, e per i miei genitori era stato un immenso sacrificio potersi permettere di farmi prendere lezioni di danza. Private. Da un ex ballerino del Bolscioi che era tornato nella sua città natale. A casa sua. Non c'era una bella sala prove come la tua: c'era un appartamento minuscolo, di due stanze, e in sala lui aveva montato un enorme specchio su tutta una parete, con la sbarra.

Madame Olenska aveva lo sguardo stranamente dolce, in quel momento. Quasi umido, si direbbe. Zoe l'ha pensato solo per un attimo, poi ha scartato l'ipotesi. Troppo improbabile.

— Nikolaj Grigoriev è stato un maestro eccezionale, — ha ripreso. — In due anni mi ha insegnato quello che le altre bambine imparano in cinque. E mi ha preparato agli esami di ammissione.

Ecco, ha pensato Zoe, il resto lo posso dire io. Naturalmente è stata ammessa subito, anzi, è stata la prima a essere ammessa. Ed è rimasta la prima del suo corso per tutti gli otto anni della scuola. Non può che essere cosí.

— E io non ho passato gli esami, — ha detto invece Madame Olenska, a sorpresa. Sotto gli occhi sgranati di Zoe, ha ripreso: — Sono risultata la prima dei non ammessi. Poi, due mesi dopo, una bambina si è ammalata e ha dovuto ritirarsi. Cosí hanno chiamato me. E questa è la fine della storia. Puoi andare.

Veramente sembra piú un inizio, ha pensato Zoe, ma non ha osato dirlo ad alta voce. Si è alzata, ha salutato con un breve inchino ed è uscita.

Poi, da sola in corridoio, durante la lezione di ginnastica e per tutta la strada verso casa, appesa alla mano della mamma (allora era piccola, la mamma la accompagnava e veniva a prenderla tutti i giorni), Zoe si è chiesta perché Madame Olenska le avesse raccontato quella storia. Senza farle prediche, senza minacciarla. Veramente il messaggio era abbastanza minaccioso da solo: se non ti impegni, qualcun altro prenderà il tuo posto. Ma poteva dire un sacco di altre cose: non si può essere sempre i primi, per esempio. O ancora: si *deve* diventare i primi, è la cosa piú importante.

Comunque, da allora ha guardato Madame Olenska con altri occhi. E ogni tanto ci pensa ancora, a quella bambina in bianco e nero con il sorriso grande: sarà stata felice? fiera? soddisfatta? O anche, in fondo, molto spaventata di aver ottenuto quello che voleva e di doverselo tenere stretto?

Comunque, questa è una delle poche cose della sua vita che non ha mai raccontato a Leda, e non ha certo intenzione di dirgliela adesso. È bello avere un'amica a cui puoi dire tutto, ma non le devi dire tutto per forza. È anche bello tenersi qualcosa per sé.

— Io ho paura di lei, — dice Leda dopo un po'. Stanno guardando uno strano film giapponese, s'intitola *Principessa Mononoke* e parla di una ragazza-lupo che cerca di difendere la foresta dal progresso. La storia è complicata e piena di sangue, ma i paesaggi sono bellissimi.

– Paura di chi? Della Signora del ferro? – chiede Zoe. Ma sa benissimo di che cosa parla l'amica.

Infatti. – Ho paura che un giorno mi chiami e mi dica che sono diventata troppo alta ed è inutile che continui per farmi buttare fuori fra qualche anno, sarebbe tempo perso, e poi se me ne vado libero un posto per qualcuno che se lo merita piú di me. Sai, per la mamma sarebbe una tragedia.

La mamma di Leda ha studiato danza, da bambina. Ma abitava in una piccola città e la scuola non era granché, era tanto per fare. E i suoi genitori non le avrebbero mai permesso di andare a studiare in una scuola seria, lontano da casa. Cosí il suo è rimasto un sogno. Che si è realizzato con Leda.

Zoe ne ha parlato con la sua, di mamma, una volta. Le ha chiesto: – Perché mi fai studiare danza?

E la mamma ha risposto, tranquilla: – Non sono io che ti faccio studiare danza. Sei tu che lo vuoi fare.

– Sí, lo so, ma sei stata tu a portarmi alla prova di ammissione.

– Sicuro. Non si è mai vista una bambina di cinque anni che si iscrive da sola a un corso di nuoto, o di pittura, o di danza. Io ti ho solo osservato. Mi sembrava che ti

piacesse muoverti. Cosí ti ho dato una possibilità. Se ti fossi stan-
cata, se io e il tuo papà ci fossimo
accorti che non era la cosa giu-
sta per te, che era troppo fa-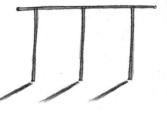
ticosa o ti rendeva infelice, ti avremmo fatto smettere
subito. Invece ti è piaciuto sempre di piú, e continua a
piacerti, direi. O mi sbaglio? Magari c'è qualcosa che
vuoi dirmi?

– No no, – la rassicura Zoe. – Certo che continua a pia-
cermi. Stavo pensando alla mamma di Leda. Sai, a volte
ho la sensazione che ci tenga anche piú di Leda, a questa
cosa del ballo. È come se la volesse convincere che è la cosa piú importante del mondo.

– Forse hai ragione, – dice la mamma. – Ma finché ci
tiene anche Leda, le cose possono continuare cosí. E mi
pare che alla tua amica piaccia tanto quello che fa, vero?

– Io non credo che Madame Olenska ti butterà fuori, –
dice Zoe, ed è sincera.

– Perché no? L'ha già fatto con almeno, vediamo... cinque, sei, sette bambine. Sette bambine in cinque anni.

– Sí, ma con te è diverso. Tu sei brava. Sei solo un po'
alta.

– Peggio ancora. Non mi butterà fuori lei: mi umilierà a tal punto che sarò io a voler andare via...

Zoe non sa che cosa dire. È chiaro che Leda è un po' depressa, e che questo pensiero la tormenta molto. Ma non può aiutarla, se non si aiuta da sola. Se non ritrova un po' di fiducia in quello che sa fare.

Finito il film, Leda resta a cena. La mamma ha ordinato una pizza buonissima, e poi c'è gelato con le fragole. Marta si pasticcia tutta la faccia di pomodoro, e alla fine si avventa sulla sua coppa di gelato con la furia di un cucciolo affamato. Sara è insolitamente allegra: la sua squadra ha vinto la partita di pallavolo, c'è da festeggiare. E la serata è divertente. Quando è arrivato, il papà ha detto, facendo finta di essere spaventato: – Cinque donne? Non so se sopravviverò...

Ma nonostante la pizza e il resto, Leda rimane malinconica, pensosa. Cosí Zoe decide che è venuto il momento di fare qualcosa.

Il giorno dopo, alla fine delle lezioni, invece di filare verso l'uscita Zoe aspetta che tutti se ne siano andati. Poi attraversa i corridoi (cosí strani, vuoti e silenziosi) e si ferma davanti alla porta dello studio di Madame Olenska.

Bussa. Due volte, con gentilezza.

– Avanti.

Zoe entra. Niente inchino questa volta, non si fanno inchini quando si è vestite normali, sarebbe ridicolo.

– Buonasera, Madame Olenska. Posso parlarle?

Un cenno della mano verso la sedia. Silenzio.

Zoe si siede sull'orlo della sedia, come l'altra volta. Poi decide che no, se vuole essere convincente deve sembrare piú sicura di cosí. Si sistema bene, le spalle appoggiate allo schienale rigido, che la sostiene e la incoraggia.

– Vorrei raccontarle una storia, – comincia Zoe. – C'era una volta una bambina che da grande voleva fare la ballerina classica.

Madame Olenska la fissa inarcando un sopracciglio, uno solo. Chissà come fa. Zoe non si lascia intimidire da quel segnale e continua:

– Solo che a un certo punto cominciò a crescere, a crescere, a crescere... era molto preoccupata, perché sapeva che nei corpi di ballo classici non c'è posto per le ballerine troppo alte. E siccome era cosí preoccupata, cominciò a distrarsi durante le lezioni, a fare pasticci, e non era piú brava come lo era sempre stata.

Una pausa per respirare: Zoe ha parlato troppo in fretta, le parole le sono uscite come un fiume. Madame Olenska la

osserva con molta curiosità e qualco-
s'altro, qualcosa che però lei non riesce a
catturare. Divertimento? Irritazione?
Difficile dirlo.

— Ma poi un coreografo molto fa-
moso fece un balletto nuovo, un balletto che conquistò il
mondo: s'intitolava *Sinfonia per ragazze alte* e in scena c'e-
rano solo ballerine alte, appunto. Una di loro, la solista,
diceva addio alle sue scarpette con la punta perché capiva
di non poterle usare piú e le appendeva a un chiodo sul
muro. Ma poi trovò un maestro che la faceva danzare scalza e libera, e usava la sua altezza per farle fare dei giochi
di ombre bellissimi col corpo, e un sacco di salti e di cose
atletiche, e le altre ragazze alte si univano a lei, e nasceva
uno spettacolo nuovo, cosí moderno che tutti andavano a
vederlo e applaudivano come pazzi.

Un'altra pausa, piú lunga, questa volta; perché Zoe ha
finito di dire quello che doveva dire.

È Madame Olenska a parlare, adesso.

— Una volta, — dice, e le sue parole sono lente e solenni, — io ho raccontato una storia a te. Adesso tu hai raccontato una storia a me. Direi che siamo pari. Basta storie, Zoe. Da adesso in poi si lavora —. E china la testa un
po' da un lato, intrecciando le dita davanti a sé.

Zoe si alza, dice «Buonasera» e se ne va.

Non è cosí ingenua da credere che le cose cambieranno solo perché lei ha parlato con Madame Olenska. O da pensare che Madame non se ne fosse accorta da sola, dei tormenti di Leda. Ma doveva fare qualcosa, e l'ha fatto. Adesso è piú tranquilla.

La direttrice è una donna misteriosa. Ma a Zoe piace proprio per questo. E mentre torna a casa ripensa alla bambina di quell'altra storia, la bambina russa. Certo, se dalla provincia è arrivata a San Pietroburgo, Leningrado, quello che è, vuol dire che i suoi genitori l'hanno dovuta lasciare lí. È stata un'allieva interna. All'Accademia ci sono pochi interni, e sono tutti piú grandi. Dev'essere dura, vivere a scuola. È un po' come stare in collegio, che sembra una cosa da bambini di una volta. Lei non sa se ce la farebbe, anche per amore della danza. Probabilmente no. Meno male che non deve, meno male. E chissà quella bambina russa, come stava, che cosa provava.

POVERA LAILA

– *Cloppiti, cloppiti, clop... iiiiihhhh*!!!

L'imitazione che Laila sta facendo di un cavallo è pessima. I versi sono pessimi. Le viene molto bene solo il movimento dei piedi, bisogna ammettere che è straordinaria, con quei piedi può fare quello che vuole. Odiosa Laila.

L'imitazione che Laila sta facendo di un cavallo è un chiaro insulto a Leda, e questa è una cosa che Zoe non sopporta. Fosse per lei, andrebbe da Laila e per farla smettere le darebbe uno spintone. Magari uno spintone e un calcio. Due calci ci starebbero proprio bene.

Ma il regolamento dell'Accademia parla chiaro. Non sono regole scritte, ci mancherebbe che da qualche parte fosse appeso un cartello con sopra stampato: «Chi dà calci ai compagni verrà espulso». Ma è una cosa che si sa. Si suppone che le ballerine siano sempre belle, dolci e gentili come appaiono. I calci (e gli spintoni) non sono compresi tra i loro gesti: meglio un *port de bras*, un'*arabesque*. Ecco: Zoe potrebbe alzare la gamba in un'impeccabile *arabesque* e per sbaglio ficcare la punta della scarpa nell'occhio di Laila, questo sí. Che voglia, che voglia.

Ma è piú astuta di cosí. Mentre s'infila le scarpette nello spogliatoio (tra cinque minuti comincia la lezione) sta già meditando una vendetta piú sottile e soddisfacente.

Il giorno dopo, di nuovo nello spogliatoio, Leda le si avvicina e le sussurra: – Hai visto com'è strana Laila oggi?

Zoe, di nuovo intenta ad allacciarsi le scarpette, che è un lavoro da fare con la massima attenzione, alza lo sguardo, poi lo posa di nuovo sui lacci.

– Hai ragione, – dice, avvolgendoli stretti ma non troppo attorno alla caviglia. – È tutta rossa in faccia. Magari si sta ammalando.

Durante la lezione succede una cosa straordinaria: Madame Olenska richiama Laila. – Laila, per favore, un po' di attenzione in piú –. Non è certo un rimprovero severo, ma basta a far diventare di porpora la diretta interessata, perché non succede mai, proprio mai che si meriti un richiamo; le uniche cose che si sente dire sono: «Benissimo cosí», «Molto bene», «Corretto».

È davvero un evento eccezionale, da lasciare tutti a bocca aperta. Leda scocca uno sguardo nello specchio a Zoe, che stringe appena le labbra. Poi Madame Olenska batte tre volte le mani: – Che cosa succede, ragazzi? Concentratevi, prego –. E la lezione ricomincia.

Ma sempre grazie allo specchio provvidenziale, Zoe tiene d'occhio Laila e la vede rivolgere occhiate sempre piú insistenti verso una sola direzione: e la direzione è Jonathan.

Jonathan è inglese, ha studiato al Royal Ballet, poi il suo papà si è trasferito per lavoro e la famiglia l'ha seguito. Ovviamente all'Accademia l'hanno preso subito. Carino è carino: ha i capelli rossi, di un bel rosso scuro, e la pelle chiara, ma senza le lentiggini che di solito si accompagnano a quel colore (e che Zoe sulla propria faccia detesta profondamente). Occhi blu, alto, magro, e molto bravo. L'unica cosa è che non sa ancora bene l'italiano, quindi parla pochissimo. E siccome è anche un po' timido, lo si capisce lontano un miglio, tende a stare sempre e solo con i maschi.

Lucas, che tra i maschi è quello che piace di piú a Zoe (come amico, s'intende) dice che Jonathan è simpatico. Quindi praticamente è perfetto. E Laila ha cominciato subito a corteggiarlo, appena è arrivato, col risultato di

farlo ritrarre ancora di piú in se stesso.

Finita la lezione, Paola dice a Laila: – Sei proprio persa, eh? Te lo mangi con gli occhi...

– Cosa? Non capisco di cosa stai *parrrlando*, – ribatte Laila, con una «erre» che ne dura tre.

– Ma di Jonathan, no? Per beccarti un rimprovero da Madame devi essere proprio cotta. Tanto lui non sa nemmeno che esisti...

Laila non risponde, ma mette su un sorrisetto sicuro di sé e continua a spogliarsi senza ribattere. Strano, visto che di solito è il tipo che vuole avere sempre l'ultima parola. Leda guarda Zoe, aspettandosi che sia lei a infilarci una battuta delle sue. Ma Zoe scuote la testa. Sorride anche lei, guardando il pavimento.

Il giorno dopo, mentre escono da scuola, Leda prende Zoe sottobraccio e le dice, piano: – Indovina un po'? Oggi quando sono arrivata nello spogliatoio non c'era nessuno, solo Laila. E sai cosa faceva? Leggeva un pezzettino di carta tutto stropicciato. Quando sono arrivata, l'ha appallottolato e ha nascosto la mano dietro la schiena. Io ho fatto finta di niente, ma lei era cosí strana che non mi ha nemmeno fatto il verso del cavallo. Secondo me Paola ha ragione: dev'essere Jonathan. Ma non credevo che a lui piacesse Laila, voglio dire, è cosí odiosa... però quel bigliettino gliel'ha scritto lui, sono sicura.

E Zoe non dice niente. Cambia discorso, invece. – Ti va di venire a casa mia a vedere un film? Ne ho uno nuovo, s'intitola *La città incantata*, è dello stesso regista di *Mononoke...*

È passato ancora un giorno. È l'intervallo dopo pranzo, e gli allievi del corso inferiore sono tutti in giardino a giocare. I maschi del quinto corso sono insieme, in gruppo, come al solito. Non giocano a calcio, strano; sembrano impegnati in una discussione.

All'improvviso Laila, che stava lí da sola seduta sulla panchina sotto l'ippocastano (lei sta sempre da sola), si alza, va verso il gruppo dei maschi, si ferma a un passo da Jonathan, gli rivolge un sorriso zuccherino e dice forte: – Sí.

Tutti la guardano esterrefatti, comprese le compagne. Esterrefatti, perché Laila non parla mai con nessuno: o meglio, per parlare parla, ma di solito rivolge battute diaboliche che rimangono senza risposta. E quel «sí» non è una battuta diabolica, quindi è una straordinaria novità.

Jonathan è il piú stupido di tutti.

— Sí cosa? — le chiede dopo un attimo con il suo accento strano.

— Be', mi hai chiesto se voglio essere la tua fidanzata, no? E allora, la risposta è sí, — dice Laila, il sorriso un po' piú fisso e meno zuccherino.

Jonathan la guarda come se fosse pazza. Lucas, evidentemente convinto che non abbia capito, cerca di spiegargli, parlando molto lentamente: — Dice che le hai chiesto...

— Ho capito, — lo zittisce Jonathan. — Ma io non voglio una fidanzata. Io non voglio questa fidanzata.

E guarda Laila, molto serio. Sembra quasi che gli dispiaccia un po' per lei.

Lei si volta di scatto verso le sue compagne, agita un pugno e grida: — Me la pagherete! — prima di marciare decisa verso la porta e rientrare, sempre da sola.

Leda si avvicina a Zoe. — Qualcuno deve averle fatto uno scherzo, — dice. — Qualcuno deve averle messo dei bigliettini falsi nella sacca... — e guarda l'amica di sottecchi.

— E lei ci è cascata, — dice Zoe, sostenendo lo sguardo.

 — Be', le sta bene, — dice Leda.
— Una volta tanto la vittima è lei!

— Hai ragione, — dice Zoe. — Se lo meritava.

Lucas si avvicina a loro due. Fa un gran sorriso, molto bianco contro la pelle scurissima del viso. — A chi è venuto in mente lo scherzetto? — chiede, e guarda Zoe. — Io un'idea ce l'ho...

— Ti sbagli, — dice Zoe. — Non sono stata io.

— Sicura? — insiste Lucas.

— Te lo direi, altrimenti, — dice Zoe. — Davvero.

Lucas la guarda, e le crede. — Va be', chiunque sia stato, ha fatto solo bene. Laila è odiosa con tutte voi.

— Con voi maschi no, — interviene Leda.

— Ma certo, — dice Lucas. — Perché non ci considera rivali. Voi invece siete tutte delle possibili nemiche per la nostra ambiziosa francesina...

— Basta, parliamo d'altro, — dice Zoe. — Abbiamo già perso abbastanza tempo. L'intervallo finisce fra dieci minuti. La fate una veloce partita a palla prigioniera?

— Maschi contro femmine? Sicuro! — dice Lucas, e corre a chiamare gli altri.

— Siete sudati e sbuffanti come un branco di gnu al pascolo, — dice Madame Olenska osservando la sua classe all'inizio della lezione. – Lo sapete che non amo che facciate giochi violenti prima di venire da me. Adesso calmatevi tutti e cerchiamo di concentrarci sul nostro lavoro. Laila, hai perso l'abitudine di pettinarti?

È decisamente troppo. Laila, è vero, ha la crocchia tutta storta, sul punto di crollare, e sulla nuca le penzolano piú ciocche di quante siano ammesse. È tutta rossa, come gli altri, del resto, ma per una ragione diversa: gli altri sono accaldati dopo la ferocissima partita che ha visto trionfare a sorpresa le femmine. Lei ha la faccia a chiazze, come una carta geografica mal disegnata, e anche gli orli degli occhi rosso vivo. Si direbbe allergica a qualcosa. Agli scherzi, probabilmente.

Ma dopo le beffe, l'osservazione di Madame Olenska è troppo da sopportare. Laila fa una cosa che nessuno ha osato mai fare in classe: se ne va. Esce. Esce senza chiedere il permesso, e se non sbatte la porta è solo perché è una porta a battenti, che cigola sui suoi cardini, oscilla lentamente e si ferma da sola.

Gli occhi di tutti si spostano dalla porta a Madame Olenska. Lei non commenta; si limita a stringere le labbra. – Ora cominciamo, – dice, e dà il segnale al pianista. – Prima posizione. E uno, e due, e tre, e quattro...

Dopo, negli spogliatoi, di Laila non c'è traccia. La sua sacca portavestiti è vuota, sono sparite le sue scarpe da sotto la panca. È andata via.

Leda si rannicchia vicino a Zoe e le mormora: — Sei stata tu, vero?

— A far cosa? — chiede Zoe, ma ha capito benissimo.

— A fare lo scherzo a Laila. A nasconderle i finti bigliettini di Jonathan nella sacca. Sei stata tu, perché lei mi prende sempre in giro...

— No, Leda. Non sono stata io —. Zoe alza sull'amica uno sguardo diretto, chiaro, e Leda capisce che è la verità.

Zoe sospira; abbassa lo sguardo; lo alza di nuovo su Leda, che aspetta, curiosa.

— Non sono stata io, ma avrei voluto essere stata io, almeno a un certo punto, — ammette. — Mi dà fastidio quando ti tratta male, ma mi dà fastidio sempre, anche quando strapazza le altre. E prima, in giardino, quando ha fatto quell'orrenda figura davanti a Jonathan e a tutti gli altri, sono stata contenta. E adesso non sono contenta per niente, perché uscire in quel modo dalla classe è una cosa gravissima, e Laila rischia tantissimo, lo sai anche tu. E mi chiedo se ne valeva la pena, solo per uno scherzo. Se ha reagito cosí, deve averla ferita davvero tanto.

Scarpette Rosa
52

Zoe e Leda sono ormai completamente rivestite. Le altre se ne sono andate tutte.

– Se non sei tu dev'essere stata Paola, – sussurra Leda, guardandosi i piedi.

– Non è molto importante, credo, – dice Zoe.

– Hai ragione, – dice Leda. E poi, d'impeto: – A me non è che importi tanto, se anche Laila mi prende in giro...

– Non è vero, e lo sai, – dice Zoe. – Te ne importa eccome. E ci resti male. Ma tu non sei sola: ci sono sempre io, con te. E poi lo sai che le sue battute sono stupide. Invece Laila è sempre da sola.

– Non dirmi che adesso ti fa pena, – sbotta Leda, quasi offesa.

– Non dico questo. Dico che non sono contenta, tutto qui.

Zoe si alza, prende lo zaino; Leda la imita. Escono, percorrono senza fretta i corridoi, scendono le scale. Sono fuori. Tornano a casa insieme, senza aver voglia di parlare.

È che Zoe si sente un po' in colpa, adesso. Per quanto si è divertita allo scherzo. Perché in quel momento ha desiderato davvero che l'idea perfida fosse venuta a lei. Ma solo in quel momento.

Be', veramente a lei sarebbe venuta un'idea perfida più

perfida di cosí. Meno stupida, ecco. Piú sottile, e forse un po' piú crudele. Ci stava già pensando, aveva un certo piano...

Allora è meglio che sia andata come è andata, tutto sommato.

C'è un altro problema, che confonde le cose: a lei Jonathan piace, e tanto. Lo osserva sempre, cercando di non farsi notare. Ha imparato a memoria il modo in cui i suoi capelli si arricciano un po' lunghi sulla nuca. Ha notato le sue mani un po' ossute, piú grandi della sua età. Le piace come parla lento, cauto, pensando prima a quello che dice. Le piace perché è carino, un po' esotico, e anche perché non lo conosce bene.

È stato questo, il fatto che a lei Jonathan piaccia molto, a farla sentire cattiva, quando per colpa di Jonathan (anche se lui non c'entra) Laila è stata umiliata davanti a tutti.

È davanti al telefono, adesso, in casa. Il numero di Laila non lo sa a memoria, non potrebbe, non l'ha mai fatto una volta in cinque anni, nemmeno per chiederle i compiti quando era malata. Ma dentro l'agenda la mamma tiene piegato il foglio con i nomi e i numeri di tutti i suoi compagni. Se volesse, potrebbe chiamarla. Chiederle come sta, e basta, senza farla tanto lunga.

Oppure potrebbe fare il numero di Jonathan, e chiedere a lui come sta.

Due telefonate cosí diverse, tutte e due possibili, tutte e due lí che l'aspettano, la chiamano.

Alla fine Zoe va via. Va in camera sua, chiude la porta. Si stende sul letto e cerca di non pensare a niente. È difficile decidere come comportarsi, come essere.

Qualcuno bussa. Non aspetta, spalanca la porta. È Marta. Corre dentro, allegrissima: – Guarda che cosa mi ha comprato la mamma!

E mostra la felpa nuova, ce l'ha già addosso, bianca, con un grande arcobaleno stampato davanti. – L'ha presa anche per te e per Sara uguale identica, sei contenta?

Zoe sorride, un sorriso un po' tirato. Ci mancava di fare la squadra di calcio. Ma la felpa è carina, e sua sorella è cosí contenta per una cosa piccola e semplice come un arcobaleno stampato che non si può non abbracciarla. È quello che fa: la stringe, annusa il profumo di pompelmo del suo shampoo, e sotto si sente l'odore di bambino che è stato all'asilo, un misto caldo di minestra e polvere. Marta si divincola, le sfugge: – Niente smancerie, Zoe, – le dice. – Però vuoi giocare con le mie Bratz?

Zoe storce la bocca: non le piacciono quelle bambole con gli occhioni sbarrati e il trucco pesante. Perché le bambine piccole non possono giocare con i bambolotti neonati?

Marta è lí che aspetta. Zoe alla fine dice sí e viene trascinata via, nella camera vicina che è un delirio di pupazzi di pelo e di stoffa e piccolissimi accessori di bambole che non sanno che cosa farsene. Sul tappeto le aspetta un plotoncino di ragazze un po' troppo cresciute. – Va bene, giochiamo, – ripete. Giochiamo a essere piccole, finché si può.

Zoe, sola nella sua stanza, in pigiama, prima di dormire, cerca di ricordare com'era lei quando aveva l'età di Marta. I ricordi sono una cosa strana: alcuni sono cosí nitidi che sembra che i fatti siano successi ieri, altri invece sono sepolti sotto una montagna di tempo trascorso e sbucano fuori a sorpresa, all'improvviso, quando meno te lo aspetti. Il ricordo piú lontano che ha Zoe, almeno per il momento, è di una bambina con i capelli che le fanno come una corona attorno alla testa mentre qualcuno la spinge forte sull'altalena. Non sa nemmeno se è lei o sua sorella Sara, perché i colori sono confusi, c'è tanto sole in questo ricordo, cosí tanto che riduce tutto a sagome, anche la bambina è una sagoma, un'idea di bambina felice che ride (questo si sente) e getta indietro la testa facendosi spingere sempre piú su, da sola non è capace e quindi deve essere piccola per forza, avrà tre anni, non di piú. Una volta l'ha raccontato alla mamma e la mamma ha detto: «Andavamo sempre ai giardini, quando eravate piccole», e Zoe ci è rimasta un po' male perché i giardini li conosce bene, ci accompagna Marta, qualche volta, e sono il posto piú banale del mondo, semplici giardinetti di città con il prato sbucciato, qualche albero che fatica a crescere, le panchine per mamme e babysitter, e quei giochi di legno per arrampicarsi e dondolarsi, una specie di castello con lo scivolo in fondo, le giostrine di metallo rosso e blu, tre altalene in fila con i sedili fatti di gomma. Possibile che il suo prezioso primo ricordo venga da lí? Zoe preferirebbe un prato incantato, con il bosco là in fondo che getta la sua ombra ma non fa paura perché tu sei in pieno sole e chi ti spinge (la mamma? il papà?) ti protegge e ti vuole bene e si occupa di te, e allora puoi anche avere un po' paura del bosco, ma per finta, solo con l'idea di provare un brividino e sentire che basta un abbraccio per spegnerlo. Una bambina in altalena. Una volta l'ha disegnata, anche, e poi ha appallottolato il foglio perché anche il suo disegno era banale e rendeva normale una cosa che invece era fantastica.

57

Se il ricordo dell'altalena è cosí sfuocato, in compenso Zoe ha una memoria molto precisa dei giocattoli che preferiva. Allora non c'erano le Bratz, sicuro, e la mamma non ha mai amato le Barbie, quindi cercava sempre di pilotare le sue scelte su un altro genere di bambole, e Zoe doveva essere una bambina arrendevole oppure semplicemente le piacevano le stesse cose che piacevano alla mamma, perché si ricorda solo una serie di bambolotti neonati, molli come dei bambini veri che se non gli tieni su bene la testa gli ciondola e si fanno anche male al collo, Zoe lo sa perché di recente ha provato a tenere in braccio il suo cuginetto Mattia di un mese e mezzo e sembrava di avere un sacchetto tra le mani. I bambolotti neonati di solito all'inizio erano vestiti, con dei bei completini, le mutande coordinate, la cuffietta sui capelli ben pettinati e ancora tenuti fermi da un giro di scotch; poi piano piano finivano nudi, o al massimo con certi piccoli pannolini di carta identici a quelli veri, con la striscia elastica stampata a disegnetti in cima, e i capelli diventavano diritti come se avessero preso uno spavento e non si fossero piú rimessi in sesto. E veramente con quegli occhi sempre sbarrati sembravano un po' spaventati, forse anche dalle cose che Zoe faceva loro, tipo metterli tutti in fila e decidere qual era il piú bello e giocare solo con quello per una settimana di fila buttando gli altri alla rinfusa dentro un cesto, a testa in giú, si trattano cosí dei poveri neonati? Oppure gli faceva il bagno, e non era mai una passeggiata: una volta ha riempito una vaschetta fino all'orlo dentro la vasca da bagno, per non fare troppi pasticci, e ci ha immerso uno dei neonati che aveva gambe, braccia e faccia di plastica, ma il corpo di stoffa e anche un meccanismo per cui faceva dei versetti e le bolle con la bocca, be', le bolle e i versetti non li aveva fatti mai piú e ci aveva messo alcuni giorni ad asciugarsi del tutto. La mamma l'aveva sorpresa dentro la vasca (aveva dovuto entrarci per forza, altrimenti non ci arrivava e non poteva lavarlo bene) mentre gli impastava i capelli di plastica con un quintale di shampoo al cocco, e quell'odore troppo dolce aveva intriso anche la stoffa e l'imbottitura, naturalmente, e non se n'era andato piú.

Invece Zoe non ricorda che nella sua vita siano mai entrate delle bambole ballerine, o dei topi o degli orsetti vestiti da ballerine, cose del genere che potessero averla ispirata a decidere che da grande voleva fare quello e basta. La camera di Leda, tanto per fare un esempio, è piena di quel genere di cose, e per quanto ricorda Zoe lo è sempre stata. Anche quelle delle loro compagne che conosce meglio. Esiste tutto un mondo in rosa, un po' luccicante, cosparso di porporina e paillettes e stelline e cuoricini, che trasforma la danza in un sogno per bambine, dove tutto è tenero, leggero e aggraziato, e ci sono solo sorrisi, nastri, frulli d'ali e di tutú, passetti in punta di piedi, raso, tulle e lana leggera. Una specie di mondo dei sogni, finto e zuccherino, che non ha nessun legame con il mondo vero della danza: severo, sobrio, semplice. Dove conta solo quello che sai fare, non se hai il sorriso con le fossette e i capelli chiusi da una retina d'argento. Anzi, le retine d'argento finiscono dritte nel cestino, perché a lezione bisogna essere rigorosissimi. Insomma, la danza è tutto tranne che un gioco. E pensando ai giochi di Marta, che è cosí piccola e ancora cosí libera, ogni tanto Zoe prova una piccolissima punta di nostalgia.

CONFIDENZE

La faccenda ha avuto qualche strascico, visto che adesso nello spogliatoio non si parla d'altro. Laila sta nel suo angolo, da sola, cerca di non incrociare *mai* gli sguardi delle compagne, ed è molto brava, molto precisa, come sempre, del resto: qualunque ciocca sospettata di ribellione viene inchiodata al suo posto da una forcina supplementare, i lacci sono perfetti, i passi anche, dalla sbarra al centro. Quindi si potrebbe pensare che tutto sia tornato alla normalità. E invece no.

– Sarà la primavera, bambine, – insinua Demetra, in piedi sulla porta della sartoria, guardandole chiacchierare e arrossire. – Anche a me fa questo effetto... – e alza gli occhi sognante, persa dietro i suoi pensieri.

Immaginare Demetra innamorata, Demetra con il suo grembiulone e gli spilli infissi sul petto e l'eterna voglia di scherzare, fa una certa impressione. Ma Zoe sa che è come quando sorprende la mamma e il papà a baciarsi: un po' le viene da sorridere, un po' le sembra strano, un po' vorrebbe non aver visto. Demetra è sposata da venticinque anni con un macchinista del teatro che si chiama Uberto e ha la barba. Dopo venticinque anni si può ancora essere innamorati? E loro, sono tutte innamorate, solo perché da qualche giorno non fanno che parlare dei maschi, e questo è carino e quello è cosí gentile e quell'altro ha una voce affascinante?

Per quello che la riguarda, Zoe non parla proprio di niente: tiene la bocca sigillata. In compenso ascolta tutto. E cosí è arrivata a sapere che:

1. Paola è innamorata di Jonathan;
2. Anna è indecisa tra Jonathan e Lucas;
3. Stefania è decisamente persa per Vittorio del secondo corso superiore, ma non è una novità, è cosí da quando erano al primo anno;
4. Francine farebbe qualunque cosa per un vicino di casa che si chiama Alberto;
5. Estella farebbe qualunque cosa per Ottavio, il ragazzo bravissimo del quarto corso superiore che ha la faccia uguale uguale a Baryshnikov da giovane (in uno dei poster nello studio di Madame Olenska);
6. Aliai è innamorata di Jonathan.

Altre posizioni sono piú indefinibili, alme-no al momento. C'è chi è innamorata di tre o quattro ragazzi insieme, e stilare un elenco preciso risulta complicato.

Ovviamente il fatto che il nome di Jonathan torni cosí spesso nei discorsi delle altre la preoccupa un po'. Ma dal momento che non può farci niente, e non saprebbe come agire, ammesso che ne tro-vasse il coraggio, Zoe ha deciso di soffrire in silenzio. Nemmeno Leda sa. Leda, che invece confessa di aver dato il suo cuore a Lucas (senza che peraltro lui lo sappia).

— Perché è bello ma è anche simpatico, — commenta, saggia e appassionata. — È l'unico maschio gentile che co-nosco. Non prende mai in giro nessuno e quando gio-chiamo insieme è come se fossimo tutti uguali, non ma-schi e femmine.

— Quando giocavamo, vorrai dire, — osserva Zoe. E ha ragione: ultimamente succede sempre meno spesso che i due gruppi si mescolino. L'altro giorno per la palla pri-gioniera è stato una specie di miracolo, ma probabilmen-te era solo per sciogliere la tensione.

— Hai ragione, — dice Leda, dopo un po'. — Le cose stanno cambiando tra noi.

— A me pare che siamo piú noi a farle cambiare, sai? —

dice Zoe, e le fa cenno di raggiungerla alla finestra. Sotto c'è il cortile, e i maschi stanno giocando a pallone, come al solito. Sembra che non abbiano un pensiero per la testa, se non quello di vincere la partita.

— Vuoi dire che non si accorgono nemmeno di noi? — chiede Leda, trepidante.

— Così sembrerebbe, — dice Zoe, e si allontana dal vetro.

Poi non c'è più molto tempo per star lí a riflettere su queste cose: è ora di lezione, oggi la fanno separata, i maschi più tardi. Almeno non ci saranno imbarazzi in classe, si fa già tanta fatica a star dietro a Madame Olenska. Che sembra anche lei di un umore strano, leggero, effervescente. Lo si capisce dai commenti che fa: — Andiamo, Aliai, sembri una mantide. Morbidi, quei gomiti —. E ancora: — Estella, il ginocchio destro. Credi di essere una rana? — Se si potesse, verrebbe da ridere: ma è chiaro che non si fa.

Quando si spostano tutte al centro, però, di botto l'atmosfera cambia, e quel poco di primavera che era filtrato dentro la sala svanisce. C'è troppa tensione, troppa concentrazione. Stanno mettendo insieme i passi per il saggio, la parte più difficile. Sono divise in gruppi di tre, e ciascun gruppo deve attraversare la sala in diagonale, con una serie di salti. Non sono difficili in sé, Madame Olenska è stata astuta a sceglierli, e in compenso fanno una gran figura: l'importante è farli in sincronia, come si conviene a un vero corpo di ballo.

Zoe è in trio con Laila e Anna. Il criterio è stato semplice e assolutamente equo: sono divise per altezza. Questo vuol dire anche che Leda è per forza nell'ultimo gruppo, assieme a Francine e Aliai, altre due che come lei hanno cominciato a crescere troppo in fretta. Ma Zoe non si preoccupa per questo: la danza è una faccenda personale, fra te e te, e quando danzi puoi voler bene da morire alla tua amica del cuore ma non serve a niente: devi pensare ai tuoi piedi, alle tue mani, al tuo corpo.

Ottenere la sincronia invece è un'altra faccenda. Non basta seguire perfettamente la musica, anche se questo Mozart offre sicurezza, col suo ritmo ben scandito, pulito, da fanfara, e sembra di non poter proprio sbagliare. Bisogna guardarsi con la coda dell'occhio, aggiustarsi le une alle altre, tenere la distanza corretta, e questo è un po' più complicato. Altrimenti quello che si vede è disordine puro, se ne accorge anche lei, che è solo una bambina, quando va a vedere qualche balletto e il corpo di ballo non è proprio di prim'ordine: passi per le scene dei solisti, ma le scene d'insieme sono quelle che soffrono di più.

Comunque oggi va tutto bene. Il loro terzetto ripete solo una volta il suo pezzo, con Madame Olenska che dà il daccapo al pianista (qui c'è lui, il caro maestro Fantin, a suonare una versione semplificata della fanfara, mentre in teatro, al saggio, ci sarà l'orchestra) e poi, alla seconda volta, dice: – Va bene cosí.

«Brave» è una parola che Madame Olenska sembra non conoscere. Eppure è strano, ormai ha lasciato il suo paese da tanto tempo, dovrebbe aver imparato il nuovo vocabolario, e poi è una parola cosí facile, cosí corta. Eppure non la pronuncia proprio mai, si dice Zoe. Si mette in posizione di riposo, le braccia morbide sulla sbarra, una gamba che incrocia l'altra, e guarda gli altri due terzetti che fanno i loro salti, mediamente buoni, senza troppi pasticci. Estella sembra un po' pallida, e infatti non va tanto bene, è come se fosse incerta, e naturalmente Madame Olenska non manca di farglielo notare; Leda invece è brillante, e anche le sue due compagne, a dimostrazione del fatto che alte non vuol dire goffe, e infatti loro non devono nemmeno ripetere, va bene cosí. Anche perché la lezione è finita: tre battiti di mano per congedare tutte quante. Sono già attorno alla porta quando Madame Olenska ci ripensa: – Un momento, bambine.

Se la smettesse di chiamarci bambine, pensa Zoe. Si volta e torna sui suoi passi, come le altre.

– Volevo dirvi che le prove stanno andando abbastanza bene. Sono abbastanza contenta di voi. Nonostante la primavera, e la stanchezza, che è naturale in questo momento dell'anno, siete attente e concentrate. Sono sicura che la preparazione procederà come deve. Ora potete andare.

Sfilano una a una fuori dalla porta, in un silenzio stupito. Da che ricordano, è la prima volta che Madame Olenska arriva a fare loro qualcosa che assomiglia vagamente a un complimento. Certo, è per tutte insieme, e quindi vale un po' di meno: sarebbe molto piú confortante riceverne uno tutto per sé. Ma adesso, si dice Zoe tornando nello spogliatoio, noi per lei siamo una classe. Ed è la classe che deve essere brava.

Dopo, mentre si cambiano, tutte commentano lo strano episodio.

– Forse sta invecchiando, – spara Paola, pungente. – E quindi è piú morbida.

– Nonna Olenska? Non ce la vedo proprio, – dice

Aliai con una piccola smorfia. — Secondo me, è solo che ci ha visto stanche e distratte e ci vuole incoraggiare.

— Allora vuoi dire che non è vero che siamo *abbastanza* brave? — insinua Sofia.

— Lei non ha detto cosí. Non ha mai usato la parola «brave», — fa notare Paola: la stessa cosa che Zoe ha pensato poco fa.

— Be', comunque è meglio cosí che quando urla, — dice Anna.

— Urlare? Madame Olenska non urla mai, — dice Paola, serissima. — Lei ti fulmina con lo sguardo e basta.

Ridono, tutte quante, e per un momento Zoe si sente vicina a tutte: sarebbe bello che fosse sempre cosí, che fossero davvero alleate, complici. Tutte amiche sarebbe troppo, è chiaro. Però...

A casa, la porta della camera di Sara, stranamente, è aperta.

Stranamente, quando lei passa davanti, Sara la chiama.

— Zoe, sei tornata?

Che cose stupide si dicono tanto per dire. Certo che sono tornata, mi hai appena visto. Potrebbe farlo notare con una punta di malignità a Sara, che è sempre la prima a beffarsi di lei, per qualunque cosa. Risponderle: «No, quella che hai visto è una proiezione del tuo immaginario, sono ancora a scuola». Invece lascia perdere e si affaccia sulla soglia della stanza.

– Eccomi qui, – dice. – Come va?

Anche la camera di Sara, come quella di Marta, è immersa nel caos. Un bel casino, pensa Zoe, ma non lo dice, per non vedersi scagliare addosso un cuscino o magari qualcosa di più aggressivo.

– Va di schifo, – dice Sara. – Vuoi sentire un po' di musica? – E accenna al suo i-pod abbandonato sul letto, i cordoncini delle cuffie tutti contorti.

Sara non le ha *mai* prestato il suo i-pod, che al momento è il tesoro più prezioso che possiede. Dev'essere impazzita, si dice Zoe. Si siede sul bordo del letto e sfiora con l'indice la superficie metallica azzurrina della magica piccola scatola da musica.

– Ma no, lascia perdere adesso, – le dice Sara. Ah, ecco. Così è più normale. E poi aggiunge: – Sono innamorata.

Un'altra, pensa Zoe. Le viene un piccolo sorriso, ma stringe le labbra e lo caccia via. Sara si offenderebbe subito. Invece fa la faccia incuriosita e dice solo: – Ma dài.

– Di Stefano, – aggiunge Sara, e poi distoglie lo sguardo, come se si vergognasse. Forse è davvero così, perché per quello che ne sa Zoe, Stefano è il povero infelice che palpita per sua sorella da quando avevano sei anni e hanno cominciato la prima elementare insieme. Adesso ne hanno tredici, sono ancora nella stessa classe e fino a oggi Sara non ha mai mostrato il minimo interesse per lui. Come si cambia.

– Be', è magnifico, – dice Zoe. – Voglio dire, sono anni che non aspetta altro.

– È proprio questo il problema, – dice Sara, tormentandosi una ciocca. – Adesso non aspetta piú.

– Non si sarà fidanzato con un'altra, spero, – dice Zoe.

– No. È solo che mi ignora.

Il piccolo sorriso brucia sulle labbra di Zoe. Oh, come scotta. Dev'essere difficile per Stefano ignorare una come Sara, con quei capelli biondi dritti lunghi un chilometro, gli occhi blu, le gambe lunghe e la fossetta che le scava un buco carino nella guancia destra. Difficile? Impossibile. È chiaro che è una tattica.

– È chiaro che è una tattica, – ripete Zoe ad alta voce. – È diventato furbo tutto d'un colpo e adesso ti fa impazzire, come tu hai fatto impazzire lui per tutti questi anni. Mettiamola cosí: è la sua vendetta.

– Dici? – Sara è speranzosa all'improvviso. Possibile che non ci fosse arrivata da sola?

– Credo di aver ragione, – dice Zoe. – Comunque hai un solo modo per scoprirlo.

— Sentiamo, — dice Sara. Si mette seduta e abbraccia un cuscino azzurro. Le dona molto, abbracciare quel cuscino. Riesce sempre a fare cose che le donano molto.

— Vai da lui e gli dici che vuoi che stiate insieme. Che lo vuoi come fidanzato, insomma.

— Devo andare da lui e dirgli che lo amo? — Sara è esterrefatta.

— Io non correrei tanto. Insomma, amare è una parola grossa, — dice Zoe, con una saggezza strana, che non sa da dove arriva.

— Ma io lo amo, — dice Sara, improvvisamente languida.

— E allora diglielo così. In effetti, non potresti essere più convincente, — continua la saggia Zoe.

— Vado subito? Sto bene vestita così? Mi faccio le trecce? Capelli sciolti? Un po' di trucco? Dove sarà finita la matita blu...

Ecco, così Sara è molto più riconoscibile. Un po' agitata, pronta ad agire. E sempre tanto preoccupata per sé.

— Stai benissimo così. Sai dove trovarlo? — le chiede Zoe.

— Ma sicuro. Il venerdì pomeriggio è sempre al campo di basket per gli allenamenti. E se non lo trovo gli telefono, e se non risponde, meglio, così almeno...

— Sara, — la interrompe Zoe. — Non puoi mandargli un messaggino per dirgli che lo ami. Devi dirglielo a voce.

— Mi vergogno, — dice Sara. Ha la faccia nascosta dai capelli, china com'è, impegnata ad allacciarsi le scarpe.

— Vergognati pure, — le dice Zoe. — Ma fallo come si deve.

Sara è già in corridoio quando si volta di scatto e dice: — Non dimenticarti l'i-pod. Dicevo sul serio, prima. Puoi prenderlo —. Poi sparisce. La porta di casa si apre e si chiude con un tonfo.

Be', è quanto di piú vicino a un «grazie Zoe» si sia mai sentita dire dalla sua sorella grande. Quasi brava, quasi grazie. Bisogna accontentarsi. E probabilmente questa è una giornata eccezionale.

GINNASTICA
ALLA GRECA

— E uno, e due... la sentite, la musica? È morbida. Abbandonatevi. Però dovete essere precise quanto lei è morbida. Non prendetela come una scusa per diventare molli come fichi. Daccapo, avanti. Maestro Fantin, prego.

Molli come fichi. È un modo di dire interessante, che Zoe non aveva mai sentito prima. Chissà se viene dalla Russia. Prova a comportarsi come un fico, approfittando del fatto che Madame Olenska è in fondo alla fila e si sta occupando delle spalle di Francine, che a giudicare dai commenti non ne vogliono sapere di stare basse e diritte. Ecco, le gambe abbandonate, le mani e le braccia che sembrano decise a toccar terra: dev'essere cosí che si sente un fico troppo maturo. Poi Madame Olenska fa scattare il bastone, e Zoe capisce che è il caso di essere un fico acerbo, semmai. Meglio ancora, una giovane ballerina molto attenta.

Ma a dire il vero è la musica che fa quell'effetto. Le *Gymnopedies* di Satie sono i brani al pianoforte che accompagneranno la prima parte della loro finta lezione di danza per il saggio: si sa che la sbarra si fa sempre con il pianoforte in sottofondo, e il *pum pum* del bastone di Madame Olenska a dare il tempo, se non fossero abbastanza chiari gli accordi. Ma questa fila di musiche brevi è cosí lenta e suadente che fa venir voglia di gesti morbidi, abbandonati.

A casa, Zoe ha chiesto a papà se per caso nella sua collezione di CD c'era anche quel Satie. — Ma sicuro, — ha risposto lui, e gliel'ha fatto ascoltare.

Alla fine del CD (c'erano anche altre cose, sopra, e sono stati lí, fianco a fianco, seduti sul divano, finché è finito) il papà le ha spiegato che cosa vede lui quando ascolta le *Gymnopedies*. — Immagina di vedere degli atleti greci, della Grecia antica, che si preparano alle gare, alle Olimpiadi. Non sono nervosi, non ancora. Fanno tutto con calma. Devono allungare i muscoli e spiegare al corpo che fra poco dovrà dare il meglio di sé. Forse si spalmano dell'olio, anche, sulla pelle: gli atleti lo facevano sempre, e poi gareggiavano nudi e lucidi.

Zoe ha sorriso immaginando la scena.

— Ma loro non erano come noi. Un corp[o] spressione della bellezza, non dell'imb[arazzo, ha ag]giunto il papà, che evidentemente aveva [capito] quel sorriso. — Prova a pensare alle statu[e], sempre dei nudi, maschili e femminili.

Zoe ci ha pensato un po', studiando la copertina del CD con il suo disegno che secondo lei non c'entra niente, visto che è la foto di una pera e una mela verdi vicine, una foto bella ma incomprensibile, a dire il vero. Poi ha detto: — In qualcosa forse assomigliamo anche noi a quegli atleti che dici tu. Perché all'inizio della lezione ci prepariamo a dare il meglio, che poi succede al centro.

Il papà ha annuito in silenzio. Poi le ha preso la mano più vicina e ha detto: — Come stai?

È una domanda strana, se a fartela è il tuo papà. Insomma, lo vedi tutti i giorni, almeno la mattina e la sera, e se tu stessi male se ne accorgerebbe. Ma naturalmente Zoe ha capito che era una domanda molto precisa, e non c'entrava con il mal di gola o la stanchezza.

— Sto bene, papà, davvero, — ha detto, stringendo le sue dita piccole attorno a quelle grandi e salde di lui.

— Continua a piacerti quello che fai?

— Sicuro.

— Tanto?

ꞁanto.

– Piú della fatica?

– Di piú.

– Allora va bene.

È stato un dialogo strano, senza guardarsi negli occhi, seduti vicini come può capitare sul treno, solo piú comodi, piú a loro agio. Zoe sa che i suoi genitori si preoccupano per lei. Che a volte hanno pensato (nei momenti piú faticosi) che l'impegno preso dalla loro bambina fosse troppo. Ma alla fine Zoe sa anche che dipende solo da lei: continuare o lasciare. E ancora, diventare brava o restare allo stesso punto. No, non è vero, questo non dipende solo da lei: bisogna vedere anche che cosa ne pensa il suo corpo, se ha deciso di crescere adatto alla danza o di diventare qualcos'altro, magari un corpo perfetto per correre, o sciare, o giocare a tennis. Zoe sa che ci sono un sacco di possibilità, là fuori, per un corpo di bambina. Ma spera che le cose andranno avanti cosí, e basta, per un altro po'.

In aula, all'intervallo, Paola dice che la prima parte del saggio è uno strazio, che era meglio un balletto buffo, divertente, come per esempio quello del terzo corso, che è la danza dei topolini, ed è vero che è piú mimo che danza, ma almeno fa ridere a vederlo. Sua sorella Irene deve averle mostrato i passi a casa.

– Io non sono d'accordo, – dice Sofia. – Andiamo, dei topini. Noi siamo troppo grandi per fare quella roba. Al secondo anno avevamo ballato *Il brutto anatroccolo*, ve lo ricordate?

– Sicuro, – interviene Laila. Gli occhi di tutte le si puntano addosso: lei non partecipa mai alle discussioni.

– Ah, certo che te lo ricordi bene, – dice Paola, maliziosa. – Perché volevi fare il cigno alla fine, e invece l'hanno fatto fare a Leda...

– Be', cosa c'entra? – ribatte Laila. – Intanto avevo la parte principale.

– Io invece ero il gatto... – dice Paola, e fa finta di stiracchiarsi, poi miagola, e si lancia verso Laila con un balzo perfetto. – Il gatto che quasi ti mangiava.

– Ohi, la finite? Siete proprio delle bambine piccole, – interviene Francine. – Comunque a me la coreografia piace.

– Quella musica fa venir sonno. Ci scommettete che il pubblico non si accorgerà nemmeno quando avremo finito il nostro pezzo? Non stupitevi se nessuno applaude, saranno tutti lí che ronfano, – dice Aliai. – È molto meglio la fanfara.

– Secondo me vanno bene tutte e due, – dice Zoe.
– Prima una cosa, poi l'altra. È piú completo, ecco.

Leda annuisce, come fa sempre quando parla Zoe.

– A me non piace perché siamo tutte uguali, – dice
Estella, e stavolta tutti gli sguardi sono per lei.

– Per una volta, forse è bello proprio per questo, – dice Leda, audace. Gli occhi delle bambine si spostano dall'una all'altra: è cosí raro che Leda esprima un'opinione.
E cosí decisa, poi.

– Tanto non siamo uguali, – sbotta Laila, e si morde il
labbro di sotto.

– Meno male, – sussurra Paola, ma hanno sentito tutte, e ridacchiano.

La maestra sta interrogando in storia, e il patto è che
quando interroga si può anche fare dell'altro, basta farlo
in silenzio ed essere già stati interrogati in quella parte
del programma. Zoe ha preso quasi ottimo una settimana fa, la storia le piace, ma l'interrogazione di Anna è un
tormento: comincia una frase, s'interrompe, guarda il
soffitto come se qualcuno ci avesse scritto la risposta apposta per lei, poi ricomincia...

Cosí Zoe prende un foglio e fa un disegno. Leda è bravissima a disegnare. Lei no. Però le piace maneggiare i

Scarpette Rosa
78

colori e vedere come cambiano, messi uno di fianco all'altro, secondo gli accostamenti. Quindi fa come al solito: divide il foglio con la riga in  tanti rettangoli uguali e ne riempie ciascuno con un pastello diverso. Viola vicino a verde: fa allegria. Rosa intenso e arancione: voglia di ridere. Nero e beige: che tranquillità. Intanto pensa.

Una volta sono state tutte uguali. All'inizio. Quando erano in prima elementare, e avevano appena superato l'esame di ammissione, e con le loro tutine di lana nera un po' larghe e le scarpette nuovissime, ancora intatte, rosa quanto il rosa chiaro può essere rosa, erano come brave piccole sorelle. O formiche, ecco: chi è piú uguale di una formica a un'altra formica? È stato bello, allora, scoprire le altre a poco a poco; è stato bello e anche brutto, perché Laila, da che si ricorda, è sempre stata quella che è adesso, e cosí le altre.

La cosa piú brutta invece era stata scoprire (ed erano bastate poche lezioni) che le cose che dovevano fare con il balletto non c'entravano niente di niente. Era tutta ginnastica. E salta di qua, e salta di là; le braccia a mulinello; le gambe a squadra; i piedi a martello e i piedi tesi.

Una fatica enorme per mettere in ordine il corpo, e tutto questo per non assomigliare nemmeno lontanamente a delle ballerine.

– Le punte, quelle si mettono solo a dodici, anche tredici anni, – aveva spiegato Ludovica, che sapeva un sacco di cose perché sua sorella Lucrezia era, appunto, una delle grandi. – Prima non se ne parla, ti rovinano i piedi. Lo sapete che da quelli di mia sorella viene sempre fuori il sangue?

Loro, piccole com'erano, l'avevano guardata con un misto di paura e sospetto. Che i piedi sanguinassero per una cosa leggera come un balletto sembrava impossibile. Forse Ludovica mentiva per darsi delle arie. E invece un giorno Anna era entrata di corsa in classe e aveva detto, d'un fiato: – È tutto vero. I piedi delle grandi perdono sangue. Ne ho spiata una nel loro spogliatoio, aveva delle bende avvolte attorno, tutte macchiate, e poi le ha srotolate e aveva un piede ferito...

Demetra, sarta ma anche un po' governante, le aveva rassicurate: – Non succede a tutte. C'è chi ha i piedi piú delicati, chi fa piú fatica a trovare la sua posizione. Tutto qui.

Zoe colora e colora. Rosso e blu: è cosí netta la differenza, fa male agli occhi. Rosa e grigio: qui c'è dolcezza.

Nella danza non c'è molta dolcezza. C'è fatica, e tensione, e ripetizione. Non sempre la fatica è ripagata: a volte ci sono dei passi che proprio non ti riescono, la gamba sembra decisa a non alzarsi piú di cosí. Poi le cose vanno a posto, come per miracolo, ma non è un miracolo, è solo che hai lavorato tanto da trasformarti senza nemmeno saperlo.

Comunque a lei le *Gymnopedies* piacciono tanto. Sarà come prepararsi alla gara, con i gesti lenti, morbidi di un atleta greco.

MASCHI

L'invito è stampato al computer, con i colori un po' a cubetti e anche un po' sbiaditi. Dice cosí:

Che cosa fai SABATO POMERIGGIO, 17 APRILE?
Io lo so: sei invitato alla mia festa di compleanno,
a casa mia, dalle ore 16.
È una festa dedicata all'Uomo Ragno, quindi pensa
a come vestirti.
Ti aspetto

Lucas

via XX Settembre, 43
RSVP 331-5545750

Zoe è già al telefono. Invece del numero stampato sul foglietto, che ha tutta l'aria di essere della mamma di

Lucas, chiama direttamente quello di Lucas (è l'unico, oltre a Laila, a possedere un cellulare tutto suo).

– Che regalo vuoi? – gli chiede, senza tanti preamboli.

– Oh, ciao, Zoe, come stai, sono contento anch'io di sentirti, che gentile, – la prende in giro lui.

– Dài, non fare lo stupido e rispondimi. Se non vuoi che finisca come l'anno scorso...

L'anno scorso per il suo compleanno Lucas ha ricevuto tre copie dello stesso libro, due copie dello stesso gioco per il gameboy e cinque magliette da calciatore, che erano diverse come numero, ma tutte della stessa squadra. Per evitare il pasticcio, Zoe ha pensato che è meglio essere espliciti. Lucas dev'essere d'accordo, perché non perde tempo con le solite frasi («Non sentirti costretta a farmi un regalo, non disturbarti» eccetera), che sono le frasi che di solito un grande costringe un bambino a dire. Invece spara subito: – Il libro sticker dell'Uomo Ragno. Costa poco e non ce l'ho ancora.

Zoe registra e chiede: – Ma questa storia dei vestiti... Carnevale è passato da un pezzo.

– Sí, ma io non compio *mai* gli anni a Carnevale, e quindi vuol dire che non potrò mai fare una festa in maschera. Cosí ho deciso di farla lo stesso, anche se è aprile. Non ti sembra una buona idea?

Lucas ha una bella voce, un po' strana in un bambi-no, bassa e fonda, come se fosse cresciuta prima di lui. Zoe sospetta che un po' dipenda dal fatto che è nero: i rapper neri hanno la voce diversa da quelli bianchi, piú come quella di Lucas, appunto. Ma siccome è l'unico nero che conosce, rapper a parte, non può fare confronti e non può nemmeno chiedere se è pro-prio cosí.

Le compagne innamorate di Lucas lo sono un po' del-la sua voce, un po' della sua pelle: è cosí bella, con quella sua tinta calda, uniforme, che fa sembrare piú bianchi i denti e piú scintillanti gli occhi molto scuri. Zoe lo trova carino, ma con distacco: sono amici da quando si cono-scono, amici veri, senza tante storie, e non riesce a pensa-re a lui come a uno che le potrebbe piacere.

– Mah, non so. Non ho tanta voglia di vestirmi da in-setto.

– I ragni non sono insetti, Zoe. E poi usa un po' di im-maginazione, no?

– Vengono tutti?

– Be', quasi.

– Vuoi dire che hai invitato anche Laila? – chiede Zoe, e subito dopo si vergogna, ma non c'è tempo per rimangiarsi la domanda, perché la risposta è già lí pronta: — Io l'ho invitata, ma tanto lei non viene.

— Te l'ha detto?

— No che non me l'ha detto. Ma non viene mai alle cose che facciamo insieme, tipo la cena di classe o la pizza con le maestre, no? Quindi...

Quindi niente. Lucas si è sbagliato. La festa è cominciata da piú di un'ora, e sono già al punto di far esplodere i palloncini saltandoci sopra a piè pari (a ritmo di musica, da bravi ballerini) quando suona il campanello.

— Chi sarà? — dice Jonathan. — Ci siamo tutti...

No. Mancava qualcuno. Mancava Laila. Eccola lí, sulla porta, a spostare il peso del corpo da un piede all'altro come se le scappasse la pipí. Ma no, che pensiero sciocco, si dice Zoe, osservandola dal fondo della stanza. Laila probabilmente non fa la pipí. Ha un pacchetto in mano ed è vestita come una strega di Halloween, con una ragnatela in cima al cappello nero a punta.

— Be', questo è per te, — dice a Lucas, e gli ficca tra le mani il pacchetto. Lui deglutisce e finalmente si ricorda le buone maniere. — Entra, vieni, — le dice. — Devi toglierti qualcosa?

— Sí, deve togliersi di mezzo! — ride Paola a voce altissima. Ma la battuta non è molto spiritosa, e nessuno la imita. Paola si è vestita da Mary Jane, con un abitino corto rosso, e si è fatta i boccoli, ma non ha per nulla l'aria fragile e innocente dell'originale.

Per infrangere l'imbarazzo, Zoe fa la cosa che di solito evita accuratamente di fare alle feste: salta su un palloncino e lo fa esplodere. Lo schiocco sembra rimettere tutti in movimento, come i cortigiani della Bella Addormentata risvegliati di botto dall'incantesimo. E la festa continua.

— Chissà che cosa farà adesso, — sussurra Leda vestita da Dr. Octopus, e chinandosi verso l'orecchio di Zoe le sbatacchia sulla testa uno dei tentacoli di gommapiuma che le partono dalla schiena.

Ci sono cinque Uomini Ragno, a questa festa, e il meglio riuscito è Lucas, che è quello che si è impegnato di piú: è chiaro che gli altri hanno recuperato i costumi tra fratelli e cugini, e la calzamaglia di Jamie gli arriva appena sotto le ginocchia, lasciando spuntare due lunghissimi calzettoni a righe dall'aria inopportuna. Jonathan è anche peggio, perché nessuno produce costumi da Uomo Ragno per bambini di dieci anni che sembrano ragazzi di tredici, o forse le taglie di qui non vanno bene per i ballerini che arrivano da lontano, quindi sembra che la sua maglietta stia per esplodere da un momento all'altro, con un improbabile effetto-Hulk. Però ci si diverte, le pizzette sono buone, la coca-cola scorre a fiumi, ci sono anche i popcorn dolci (una rarità) e sembra che tutti stiano benissimo.

– La torta! – annuncia la mamma di Lucas. È strano, vederla vicino a lui, perché è bionda e ha gli occhi verdi. È il suo papà che è nero, ma adesso non c'è. È un giocatore di basket e il sabato si allena o gioca.

La torta è bellissima, in mezzo ha una ragnatela nera disegnata con fili di cioccolato su un fondo rosso che ha l'aria di sapere di fragola. Le candeline sono blu, e Lucas le spegne tutte in una volta. Undici. Peccato che a tagliarla la ragnatela si frantumi a schegge irregolari, e alla fine ciascuno pesca il suo pezzo con le dita, staccandolo dal pandispagna alla crema che c'è sotto.

– E adesso balliamo! – urla Lucas.

Parte la musica, e non è Satie e nemmeno Čajkovskij o Mozart, niente di quello che danzano a scuola cinque giorni su sette: è un ritmo duro, metallico, che fa sbrogliare le ossa come se dentro avessero delle molle.

Anche Laila, niente affatto intimidita, lascia il suo angolo e si scatena.

– Quel vestito le sta benissimo, – dice Leda, piano, saltellando vicino a Zoe.

– Perché è da strega, intendi? – le chiede Zoe.

– Sicuro. Altrimenti perché?

Parecchio tempo dopo, molti se ne sono già andati. Restano Jonathan, Lucas, Zoe, Leda e Laila. Che guarda di continuo la porta e dice, torcendosi le mani: – Strano. *Maman* aveva detto che arrivava alle sei. Davvero...

Lucas la tranquillizza: – Puoi restare quanto vuoi, io non butto fuori nessuno. E poi non sei nemmeno l'ultima...

Laila si guarda le scarpe (scarpe nere lunghe, con la fibbia, da strega anche quelle) e dice, nervosa: – È la prima volta che vado a una festa...

– Non si direbbe, – le dice Zoe. – Hai ballato tutto il tempo.

Laila fa un piccolo sorriso e confessa: – Mi piace la dance –. Poi ridiventa subito seria, come se avesse detto troppo.

Adesso la musica non c'è piú. C'è silenzio, nella sala devastata. Il pavimento è coperto da chilometri di stelle filanti srotolate e palline di ovatta e trombette che a furia di soffiare hanno perso i fischietti e ridicoli cappellini a cono stampati a stelle e pois luccicanti. C'è

quel senso di sfinimento che cala addosso dopo una festa, quando sei felice ma
insieme stordito e vorresti essere a
mille miglia da lí, in un posto
tranquillo e ordinato, a ripensare
con calma a tutto quello che è successo. Non è successo
molto, pensa Zoe. È stata una bella festa, certo. La vera
sorpresa è Laila, una sorpresa di cui non si sa cosa fare,
che non si sa come interpretare: forse sua mamma aveva
da fare e l'ha parcheggiata lí? O è stata lei a chiedere di
venire, a insistere, per la prima volta dopo tanto tempo?
E perché? Vuole fare amicizia con qualcuno? È venuta
solo perché c'era anche Jonathan? Ma sarà ancora innamorata di Jonathan?

Quante domande. Suonano alla porta; la mamma di
Lucas apre; è la mamma di Laila. Ha i capelli rossi, corti,
come un maschio, e grandissimi occhi nocciola, con le ci-
glia molto lunghe. È minuta, un fisico da ballerina, si direbbe. Cerca sua figlia con lo sguardo e le brillano gli occhi quando la vede. – Tesoro, sono qui, – le dice, e le spalanca le braccia. Laila si tuffa nell'abbraccio, poi è come se
ci ripensasse e si ritrae, fa un passo indietro, sorride d'imbarazzo. – Andiamo pure, mamma –. Si volta e fa ciao a
tutti insieme, una volta sola, con la mano.

Scarpette Rosa

— Com'è strana, — dice Leda, per tutti, quando la porta si è chiusa.

— Chi, lei o sua mamma? Perché lei lo sapevamo, che è strana, — dice Lucas.

— Non so. Tutte e due, — dice Leda.

— Sono contento che sia venuta, — dice Lucas. — Forse stare sempre da sola non le fa tanto bene.

— Sei stato bravo a invitarla, — dice Zoe. E tutti fanno sí con la testa.

COSTUMI

– Ti piacciono?

Leda ha un paio di jeans nuovi, vita bassa e fondo lar-
go, di quelli che ti trascini un po' dietro come fanno le
principesse con lo strascico, se non fosse che ti finiscono
sotto le scarpe e dopo qualche giorno sono sporchi e
stracciati. Che è precisamente come devono essere.

– Carini, – commenta Zoe. – Ti stanno molto bene.

Ed è vero, perché con le gambe lunghe e sottili che ha,
Leda dà il massimo con le cose larghe e flosce che addosso
a una piú piccola sarebbero orrende. In piú, questi jeans
hanno un piccolo cuore rosso applicato sulla taschina destra, dove infili la mano, e uno grande, a righe rosa e gial-
le, ricamato verso il fondo della gamba sinistra.

A Zoe la moda non interessa tantissimo. Le piace guardarsi in giro, quando vanno con la mamma e le sorelle a fare razzia, come dice Sara: ma preferisce che siano le altre a

darle consigli. E siccome le altre sono sempre almeno tre (anche Marta ha le idee piuttosto chiare) si fida di loro, e di solito indovinano. C'è solo una cosa molto chiara, che sanno tutti: a lei non piace il rosa.

— Certo che sei una ballerina strana, — le ha detto Leda una volta, a questo proposito. — A tutte le ballerine piace il rosa. Guardati un po' in giro.

Erano nello spogliatoio, e a dire il vero, fra golfini *cachecoeur*, che sono quelli incrociati con un nastrino di lana a chiuderli, scaldamuscoli e lacci per i capelli, era un vero tripudio di rosa, come sempre. Zoe ha strizzato un po' gli occhi, per vedere sfuocato, e il mondo è diventato una danza di macchie rosa, piccole, medie e grandi, dappertutto.

Un'altra cosa che non le piace è travestirsi. A volte ha la sensazione che senza rendersene conto alcune sue compagne si travestano, piú che vestirsi, come alla festa di Lucas, solo in un modo piú discreto, che quasi non si nota, eppure è proprio cosí. Laila, per esempio, si traveste da bambina di trent'anni fa; dev'essere sua mamma, veramente: scarpette di vernice (non sa nemmeno che cosa siano, le scarpe da tennis), gonne scozzesi a pieghe, camicette bianche, golfini rossi o blu... Sembra uscita da un vecchio film, la classica brava bambina, ci mancano solo due belle trecce fermate da fiocchi, e se non ci sono probabilmente è solo perché il regolamento della scuola non contempla l'uso delle trecce. Aliai, che tra di loro è quella che segue piú la moda (e anche qui ci dev'essere la complicità della mamma), sembra sempre uscita da uno spot, uno di quelli un po' stupidi con le bambine che vogliono vestirsi come la loro bambola preferita. Come se vestirsi da bambola fosse un'aspirazione seria. Comunque lei ama i colori violenti (fucsia, viola, verde acido) e le cose che luccicano, e ha certe scarpe con un buffo cuscinetto di gomma sotto, alto, che la fanno sembrare un gigante e le danno un passo strano, un po' da papera. Già tutte le ballerine tendono a camminare come anatroccole, figurarsi.

Leda è una via di mezzo. Il fatto è che, essendo figlia unica, sua mamma non le nega niente: se chiede una cosa, il giorno dopo ce l'ha. A Zoe questo non piace, ma siccome sospetta che la sua sia solo invidia, non dice niente.

— Dovresti comprarti anche tu qualcosa da grande, — le dice Leda, pensosa. È l'intervallo, piove e quindi niente giardino. Sono in corridoio e guardano fuori dalla finestra le foglie afflosciate dall'acqua. A volte quando piove Zoe si sente depressa. Quando c'è il sole non le succede mai. «Sei meteoropatica» le dice sua mamma, e sembra quasi una malattia: invece vuol dire che il suo umore cambia col tempo, e non c'è niente di male.

– Qualcosa da grande? – mormora Zoe, distratta. C'è un uccellino al centro del cortile, sembra molto piccolo e parecchio bagnato. Perché non saltella sotto la magnolia? Ha le foglie cosí spesse che lí l'acqua non passa di sicuro.

– Sí. Qualcosa per sembrare piú grande, – insiste Leda. – Per farti guardare.

– E da chi? Da te? – Zoe ride: l'idea di mettersi delle cose per farsi guardare le sembra proprio strana. Ultimamente semmai è il contrario, preferisce non attirare l'attenzione di nessuno.

– Ma va'. Da Jonathan, per esempio.

Zoe dubita che una maglietta colorata o un paio di pantaloni che sembrano di due taglie di troppo possano fare effetto su Jonathan. Su di lui funzionano meglio Baryshnikov, il basket e la playstation, sospetta.

– Tu credi davvero che si accorgano di come siamo vestite? Anzi, credi che si accorgano di noi?

Leda risponde con dispetto, quasi offesa: – La mia

mamma dice che bisogna prendersi cura di sé, se si vuole piacere.

Zoe tace. Non ha voglia di litigare con Leda, piove troppo per litigare. E poi non saprebbe come ribattere: ha le idee confuse su questa faccenda. A lei basta piacere alla sua mamma e al suo papà, e a Marta, e anche a Sara, e a Leda, naturalmente, e a Lucas. Piacere nel senso di stare bene insieme, essere gentili gli uni con gli altri, cose cosí. Ma sa che con Jonathan, tanto per fare un esempio, è tutta un'altra cosa. E sente anche di non essere capace di occuparsene, al momento.

Piove tutta la settimana. Per fortuna ci sono altre distrazioni. Demetra ha finalmente rivelato al mondo i costumi del saggio. E nel tempo libero, negli intervalli, è tutta una processione verso la sartoria, perché a parte i propri, di costumi, è bello guardare quelli degli altri.

Le grandi, per esempio, quelle dell'ottavo anno, che danzeranno una coreografia che si chiama *Estate* ed è stata inventata per loro da Jasper Jones, il direttore del corpo di ballo del Teatro Accademia, hanno dei tutú larghi e rigidi nei colori del sole: giallo, arancio, rosso. I ragazzi sono vestiti di viola e blu copiativo, come certe strisce di tramonto, ma si sa che i maschi, poverini, devono ac-

contentarsi quasi sempre di tuta e calzamaglia e basta. Quelli del primo superiore no, veramente: siccome il
loro balletto è fatto di frammen-
ti del repertorio romantico, hanno
dei bei corpetti azzurri da principi delle fiabe, tutti rica-
mati d'oro, che fanno il paio con i tutú lunghi delle loro
compagne. I bambini del quinto corso inferiore, Lucas e
gli altri, porteranno una tuta grigia con le maniche a
trequarti. Le bambine invece hanno squittito di gioia alla vista dei famosi tutú minuscoli grigi e argento, quelli
che Zoe aveva già visto tanto tempo fa nel disegno, ma
era stata brava e non l'aveva detto a nessuno, un segreto
è un segreto. C'è anche la marsina nera destinata a Laila,
con tanto di braghe larghe tenute su con le bretelle, camicia bianca e cravatta a fiocco. Però sul loro stand, dove i costumi stanno tutti in fila, col nome di ciascuna
scritto su un cartoncino e appuntato con uno spillo, non
c'è il tutú di Leda. Nella confusione lei non se n'è accorta: ma Zoe sí.

E cosí adesso si ritrova con un altro segreto, ben piú importante, uno di quelli che scottano cosí tanto che vorresti
subito parlarne con qualcuno, per liberartene, sperando che

intiepidisca. Invece no. Con chi potrebbe parlarne? Non con Leda, certo: non è lei che deve dirle che con tutta probabilità erano veri quei sospetti, che forse Madame Olenska ha pensato di non farla continuare e non la vuole nemmeno al saggio. E con chi, allora? Sente che Lucas non saprebbe dirle niente di confortante, eccolo là che si scambia di nascosto le figurine con Matteo, ha altro per la testa. Cosí si tiene tutto per sé, e quando Leda le dice: – Stai bene? Hai la faccia di una che ha mal di pancia, – risponde, debole: – Un po'. Devo aver mangiato qualcosa di strano.

Un'ottima scusa per chiedere di andare in bagno, a respirare un po'. Nello specchio sopra il lavandino la sua faccia è pallida. Se Leda dovesse andarsene, le si spezzerebbe il cuore. E lei, Zoe, resterebbe da sola. Caccia subito via questo pensiero egoista con un po' di vergogna: che importanza hanno i suoi sentimenti, quando Leda sarebbe semplicemente disperata?

Zoe beve un po' d'acqua del rubinetto. È tiepida e sa di metallo; praticamente disgustosa. Si asciuga le mani in un foglio di carta, e le restano delle briciole umide sulla punta delle dita. Le arrotola tra i polpastrelli, nervosa. Ha deciso che starà zitta, e sullo stomaco le è già sceso un macigno.

Al pomeriggio, a lezione, Madame Olenska batte il bastone a terra tre volte e annuncia: – Ci sono delle novità. La coreografia è un po' cambiata.

Ecco, pensa Zoe, e sospira a fondo per calmare il battito del cuore che è come impazzito. Gli altri si limitano a guardare la maestra con una certa curiosità: anche Leda ha le sopracciglia inarcate e non sospetta di niente.

– Ultimamente state cambiando tutti quanti. È normale, è la crescita. Ma è chiaro che a questo punto non siete tutti adatti alla danza classica.

Tutti si irrigidiscono un po'.

– Questo vuol dire che certi passi non vengono valorizzati dall'interpretazione di alcuni di voi.

Qualche piede nervoso strofina il pavimento. Ecco, ci siamo.

– Quindi ho deciso di modificare una parte del vostro balletto. Le *Gymnopedies* restano uguali. Invece nell'ultimo gruppo della Fanfara resteranno solo Aliai e Francine. Tu, Leda...

Un momento di sospensione. Leda impallidisce.

– E tu, Lucas...

Lucas? Buttato fuori anche lui? Ma se è bravissimo.

– Voi due, dicevo, chiuderete la coreografia con una coda moderna. Cosí. Maestro Fantin, prego.

Il maestro Fantin preme due accordi fragorosi sulla tastiera. Nello stesso tempo, con destrezza da prestigiatrice, Madame Olenska si libera in due gesti del caftano e del turbante, e resta in tuta nera, con una breve gonna diritta, nera. I capelli sono nerissimi, tesi in uno chignon perfetto. Nessuno l'ha mai vista cosí.

E sulle note gioiose delle ultime frasi musicali, Madame Olenska fa una cosa che nessuno di loro l'ha mai vista fare prima: danza. Un abisso separa la sua danza dai salti aggraziati e convenzionali riservati ai terzetti. Sono pochi passi, ma passi di danza contemporanea, con il corpo che si rannicchia e si slancia, si rannicchia e si slancia e piroetta su se stesso, velocissimo, come una trottola, per immobilizzarsi con le braccia tese.

Ecco, è già finito. È stato bellissimo. D'istinto, Zoe applaude. È l'unica. Nessuno osa imitarla.

Madame Olenska fa un breve inchino asciutto. – Questi sono i passi. Leda e Lucas, li farete a specchio. E vi voglio perfetti –. Vuol dire che dovranno guardarsi mentre danzano, uno di fronte all'altra, e sembrare davvero l'uno il riflesso dell'altra. Cosí diversi, dovranno cercare di essere uguali.

– Non resta molto tempo, lo sapete, – aggiunge Madame Olenska. – Quindi oggi cominciamo con voi. E mi aspetto che facciate anche delle prove supplementari da soli, per non deludere me e il vostro pubblico. La sala è aperta anche dopo la scuola, lo sapete. Fino alle sette di sera. Organizzatevi. Adesso su, in fondo alla diagonale. Si comincia. Maestro Fantin...

Zoe, abbandonata contro la sbarra, guarda Madame Olenska precedere i suoi due amici lungo la diagonale. Loro non le tolgono gli occhi di dosso e insieme la imitano, adeguandosi alla musica, facendosi portare dalle note. È vero, sembrano passi semplici, ma anche l'atletico Lucas esita.

Ecco perché non c'era un tutú per Leda, sullo stand del loro corso. Perché Leda avrà tuta e calzamaglia identiche a quelle di Lucas, da danzatrice moderna. È giusto cosí. Allora aveva ragione lei: Leda può diventare una vera ballerina, in un altro modo. Forse può cominciare adesso, da questo saggio.

Ecco, sono alla fine, ma già corrono indietro, nell'angolo della sala, dove parte la loro diagonale. Madame Olenska è magnifica, non ci si stancherebbe mai di guardarla. Loro in confronto sono cosí goffi, adesso... Ma al saggio madame Olenska non danzerà, e nel frattempo loro saranno diventati molto, molto piú bravi: bravissimi. Zoe ne è sicura.

Si guarda intorno: tutti fissano la scena estasiati, non c'è uno dei compagni che sia distratto. Le pare di leggere anche una punta d'invidia nello sguardo di Laila, ma forse è un'impressione, o è lei che vuole vedercela. O forse l'invidia è per Madame Olenska: è difficile, al momento, pensare che uno qualunque di loro possa arrivare a uguagliarla.

Ma c'è tanto tempo. E anche guardando s'impara.

GLI INVITI

– Che cos'ha Laila?

Sembra stranamente sollecita, Paola, nello spogliatoio. Probabilmente la sua è solo curiosità. È Leda a rispondere, visto che Laila non sembra in grado di farlo:

– Raffreddore da fieno. Terribile, eh?

Davvero terribile. La povera Laila è schiacciata nel suo angolo, scossa da una sequenza di tremendi starnuti che la lasciano ogni volta senza fiato. Ha la faccia a chiazze e quel pezzettino di pelle sotto il naso irritatissimo, come succede a chi se lo soffia troppe volte di fila.

– Ma non le è mai successo... – commenta Paola.

– Dice che il dottore le ha detto che può succedere anche così. Un anno non ce l'hai, poi all'improvviso ti viene. E te lo tieni per tutta la vita, – spiega Leda, un po' lugubre.

– Ma non può prendere niente?

– Adesso che sa di avercelo, può fare il vaccino in anticipo, perché non le venga il prossimo anno. Ma dice che le medicine le fanno venir sonno. O si addormenta, o starnutisce.

— Poverina, — dice Paola, e Zoe, che stava sistemando i vestiti nella sacca, si volta di scatto, stupefatta. Poverina? Detto da Paola, di Laila? Che stravaganza.

Ma è davvero un periodo stravagante, questo.

Infatti. — Dovrebbe usare i fazzoletti di stoffa, almeno non le si spacca tutta la pelle, — dice Francine.

— Dillo a lei, non al mondo, — interviene Zoe.

Francine le scocca uno sguardo corrucciato, poi però si volta verso l'angolo di Laila e dice: — Doveresti usare i fazzoletti di stoffa. Guarda, ne ho qui uno. Lo vuoi?

Tra uno starnuto e l'altro, Laila trova il modo di fare sí con la testa, e il prezioso rettangolino passa di mano. E poi:

— Oh, mi si è rotta la reticella, era l'ultima. C'è qualcuno che ne ha una in piú?

La richiesta è di Anna, e all'improvviso sbucano dalle borse tre reticelle nuove, ancora incellofanate. Lo chignon è salvo.

Ancora:

— Voi vi truccate, per il saggio? Madame Olenska non vuole, però...

E Zoe: – Demetra ha detto che ci trucca lei, se non lo diciamo in giro. Quel tanto che basta. Però dobbiamo arrivare due ore prima, cosí non ci beccano.

Come chiamarla? Solidarietà? Non è che le cose siano poi tanto cambiate, intendiamoci. E lo si vede in classe, quando ciascuna di loro è un mondo a parte, e anche Leda e Zoe, che adesso sono separate da passi cosí diversi, si sforzano di raggiungere la perfezione ciascuna per conto suo. E se qualcuno si prende una sgridata, se la tiene, e non c'è nessuno che lo consoli o si mostri comprensivo. Anche perché ciascuno sa che la prossima potrebbe toccare a lui.

Però si sta bene. A parte Laila, Zoe ha la sensazione che siano tutti pieni di energia, e dovrebbero essere stanchi, visto che è la fine dell'anno. Eppure alle prove (ormai non si fa piú lezione, solo prove) non sempre tutto fila liscio. Ieri, per esempio, Madame Olenska li ha congedati con una severità terrificante e quando è uscita sono rimasti lí tutti, come paralizzati dalla consapevolezza che è cosí facile fallire. E se succedesse anche in scena? Pensiero non espresso, ma certo condiviso da tutti.

Poi Laila si è mossa, ed è stato come se il maleficio si sollevasse da tutti loro, e se ne sono andati lentamente, con gesti meccanici, come automi appena riparati ma ancora arrugginiti.

Zoe è stata l'ultima a uscire dall'aula, e il maestro Fantin, appena prima che lei se ne andasse, ha attaccato con una musica dolcissima, rapinosa. Zoe ha capito che era un valzer, è facile, un-due-tre, ma non ha riconosciuto l'autore. Si è fermata, quasi sulla soglia, senza voltarsi, fino alla fine del pezzo.

– Chopin, – le ha detto poi il maestro Fantin, ancora nascosto dal pianoforte. – Ti strazia il cuore, eh?

– Me lo suonerebbe un'altra volta? – ha detto Zoe, molto piano, per concedergli la scusa di non aver sentito, semmai. Il maestro Fantin è vecchio e molto piccolo, ha i capelli bianchissimi e gli occhiali rotondi, e veste sempre di tutti punto, con giacca, cravatta e panciotto. Anche quando comincia a far caldo, come adesso.

– Sicuro, – ha detto. Due accordi, come fa sempre per dire che sta per cominciare. Zoe ha avuto appena il tempo di tornare al centro, con una corsetta leggera. Poi via.

Le era già capitato, ovvio, di improvvisare una sequenza di passi su una musica che le piace. A casa ogni tanto lo fa: c'è stato il periodo Čajkovskij, dopo che la mamma e il papà l'avevano portata a vedere *Lo Schiaccianoci*, e la «Danza della Fata Confetto» era diventata quasi una mania. Poi il periodo Debussy, anche se non è facile danzare su quella musica che si muove imprevedibile come l'acqua. Certo, qui a scuola, in una vera sala, non l'ha mai fatto. Si guarda allo specchio, ma non per vanità: per controllarsi, come fanno le vere ballerine quando studiano. E infila una serie di passi lenti e solenni, lenti e un po' tristi, come la musica che corre sui tasti del pianoforte.

Alla fine s'inchina a se stessa, un inchino profondo.

– Brava, – le dice il maestro Fantin quando lei gli passa davanti.

– Mi ha guardato? – gli chiede lei, stupita. – Ha suonato senza guardare la musica? La sa a memoria?

– Sicuro. So a memoria tutta la musica che amo, – le risponde lui. – Buon pomeriggio.

E si alza, le volta le spalle, raccoglie i suoi spartiti.

Zoe esce dalla sala. Ci sono tanti mestieri che girano attorno alla danza. Il maestro, le sarte, gli assistenti. E quando si fa sul serio, ci sono i tecnici delle luci e del suono, gli addetti al palcoscenico... E giú nella buca, chi fa la musica, come il maestro Fantin. Forse voleva fare il concertista, essere da solo in scena, con il riflettore puntato e

Scarpette Rosa
106

una platea a fiato sospeso, lí per lui e basta. E invece suona per le lezioni, sempre la stessa musica, e uno e due e tre e quattro. Suona per loro. Tutta quella gente che lavora per loro. Non è strano?

Nel corridoio, Zoe incrocia Madame Olenska. – Mi scusi, – le dice, senza nemmeno riflettere. – Al saggio ci viene, il maestro Fantin?

Madame Olenska la guarda, si ferma sui suoi passi. – Non saprei, – risponde. – Forse è stanco di voi. Vi vede tutti i giorni, dopotutto.

– Forse no, – dice Zoe. – Possiamo invitarlo?

Madame Olenska riflette un attimo. – Perché no? – dice. – Posso chiedere alla signorina Elsa di dargli un invito.

La signorina Elsa è la segretaria e carpirle gli inviti è un'impresa. A ogni famiglia di allieva o allievo ne toccano solo quattro, non uno di piú. E chi ha tante sorelle come Zoe, finisce per non poter invitare nessun altro. Per fortuna la nonna può usare uno dei biglietti di Leda, che invece ha una famiglia cosí piccola.

Le piacerebbe, qualche volta, poter dare un invito a qualcun altro. Tipo Elisa, la bambina del secondo piano: quando erano piccole giocavano insieme, qualche volta. Adesso non si può piú, a Zoe non resta molto tempo per giocare, dopo la scuola, e immagina che anche Elisa debba avere i suoi impegni, le sue amicizie. Quando si incontrano in ascensore si sorridono sempre, ed è come se per un attimo fossero ancora piccole e libere. Ma l'attimo svanisce cosí in fretta. E poi forse a Elisa la danza non interessa: lei il pomeriggio va a pattinaggio sul ghiaccio e studia francese, magari si annoierebbe, o penserebbe che la sua ex amica vuole darsi delle arie...

No, per quest'anno Zoe è contenta cosí. Un invito in piú è già un risultato enorme. Sempre che venga, il maestro Fantin. Ma Zoe, non si sa bene come, è sicura che verrà.

LA PROVA GENERALE

Ecco, è venuto il momento. Si dice che, se la prova generale va storta, allo spettacolo va tutto alla perfezione. E viceversa. Quindi non si sa mai bene che cosa sperare, che cosa desiderare, anche se è ovvio che Madame Olenska pretende la perfezione qui e ora e poi anche fra tre giorni, allo spettacolo. E pasticciare apposta non vale. Non lo farebbe nessuno, per non sentirsi umiliare davanti a tutta quanta la scuola appostata dietro le quinte. Sarebbe da sprofondare, da sperare che si apra una botola sotto i piedi, lí nel palcoscenico, e via. Oppure da desiderare di sciogliersi, liquefarsi come un pupazzo di neve, lasciando solo una pozza bagnata che il legno farà in fretta ad assorbire.

Avere un camerino al posto del solito spogliatoio è bellissimo. C'è un grande specchio con le lampadine piantate nel bordo, che servirebbe per truccarsi, ma al momento è utile solo per vedere i propri difetti. Zoe si guarda e trova che la sua bocca è troppo grande, ma non ci si può fare niente, nemmeno con il trucco. Anzi, le viene da premere le labbra una contro l'altra per cancellare anche quel tocco di lucidalabbra che Demetra ha concesso a tutte e che sembra farle sporgere ancora di piú, le labbra.

— Cosa fai? Cosí ti va via tutto, e manca ancora un'ora! — le strilla Leda. Lei alza le spalle e dà la schiena al proprio riflesso.

— Ecco, brava, spostati che mi devo specchiare io, — le dice Anna. Lei obbedisce e si siede su una delle sedie addossate alla parete. Dovrebbe sentirsi piena di energia, e invece è sfinita dall'attesa.

Madame Olenska si è stupita vedendole pronte con tanto anticipo, ma non ha commentato. È troppo occupata con le piccole, che come al solito sono un disastro. Zoe è passata davanti al loro camerino, c'era la porta aperta e ha visto che una piangeva disperata, e aveva intorno tre compagne che cercavano di consolarla senza grandi risultati, tanto che sembrava che quasi quasi venisse da piangere anche a loro. Cosí si è appoggiata allo stipite e ha detto: — Come siete carine.

Lo erano davvero, nelle loro tutine nere, con la coroncina di rose bianche sulla testa. La bambina piangente ce

l'aveva tutta storta, la sua, colpa dell'agitazione. Zoe gliel'ha sistemata e le ha fatto una carezza sui capelli. — Scommetto che siete bravissime, — ha detto, e loro l'hanno guardata come se fosse un'apparizione.

Si è sbirciata nello specchio, con tutte quelle faccette rotonde attorno, e ha capito che per loro era davvero un'apparizione: quei fili d'argento nel tulle del tutú e dentro i capelli fanno una gran figura. — Be', ciao, — ha detto infine. — Ci vediamo in palcoscenico. Incrocio le dita per voi.

E se n'è andata sentendosi grande, grandissima.

Poi, in corridoio, ha incrociato otto silfidi con il tutú lungo bianco e le scarpe da punta, e si è sentita all'improvviso piccola, piccolissima. Si è perfino appoggiata con la schiena alla parete per lasciarle passare, senza osar nemmeno sfiorare il tulle soffice delle loro gonne fruscianti. Una, già avanti, si è voltata verso le compagne e ha detto: — Andrà benissimo, — con un sorriso da stella del cinema, incorniciato da vero rossetto rosso.

Se lo dice lei, ha pensato Zoe, dev'essere vero.

Di ritorno in camerino, ad aspettare. Laila sta zitta, a occhi bassi. — Ha preso la pastiglia per il raffreddore, non ne poteva piú, – spiega Francine, pietosa. – Cosí adesso dorme.

Gli occhi di Laila scattano in su, ma la voce è morbida, quasi gentile. – No che non dormo, – dice. – Mi sto solo riposando.

Ridono tutte, ma non è una risata feroce: è dolce, comprensiva.

– Facciamo cosí, – dice Francine. – Un quarto d'ora prima della prova ti avvisiamo noi, cosí fai qualche *plié* per svegliarti. Per scaldarti, volevo dire.

Laila annuisce e tace. Nel camerino cala uno strano silenzio. Di solito è tutto un chiacchiericcio.

Zoe guarda le compagne: il trucco ha uniformato un po' i colori, ma si vede benissimo che Leda è pallida. Aliai invece è troppo rossa, come se avesse un po' di febbre: quando è emozionata le succede sempre.

– Qualcuno vuole un altro po' di lucidalabbra? – le sfida Anna, ed estrae dalla tasca della giacca appesa all'attaccapanni un cilindretto argentato.

– Lo sai che abbiamo già esagerato. Se Madame Olenska se ne accorge, si arrabbia sul serio, – dice Sofia, timorosa.

– Ma figurati. Con tutto quello che ha per la testa. E comunque, se ce lo mettiamo tutte, se abbiamo tutte la stessa bocca, non può notarlo. Avanti, chi comincia? — E con il fare di una truccatrice navigata apre il tubetto, fa uscire il bastoncino rosa vivo, sfila un fazzolettino di carta dalla scatola sul tavolo e lo ripulisce per bene.

— Io, io, — si fa avanti Paola. Si siede davanti ad Anna, che resta in piedi e si concentra sulla sua opera. In un attimo Paola è pronta.

Poi tocca a tutte le altre. Zoe è la penultima. Per Laila niente, è vestita da uomo, ha anche i baffetti disegnati sopra le labbra. Infine Anna lavora su di sé.

Eccole tutte pronte, tutte accalcate davanti al fantasmagorico specchio da dive che incornicia le loro facce dentro la fila di lampadine luminose: sembra una fotografia, pensa Zoe, una di quelle foto che vedi sulle riviste quando ci sono i servizi sulle scuole di danza piú famose del mondo. La loro è una di queste. Si vedono sempre quei sorrisi accentuati dal luccichio roseo del rossetto, quei capelli tiratissimi, quegli occhi a stella. Come se tutto il resto, la fatica di ogni giorno, le rivalità, le delusioni, l'amarezza potesse essere cancellato da una, due ore di spettacolo.

Alla fine è proprio cosí, però. Tutto l'anno, il lunghissimo anno scolastico, sembra lontano, remoto. Anche se non è ancora finito, e in fondo ci sono in agguato gli esami di ammissione al primo corso superiore. Ma è svanito tutto quanto, ed è anche valsa la pena di viverlo, con la sua altalena di sensazioni, le gioie piccole e i momenti difficili, per essere qui, adesso, a sorridere grande davanti a uno specchio quasi magico aspettando il momento di far vedere a tutti quanti (e c'è anche un po' di sfida in questo) come possono essere brave delle ballerine bambine.

E poi l'attimo è svanito, Clarice spalanca la porta senza bussare, dice: – Presto, è quasi ora, tutte in palcoscenico, speriamo che anche i maschi siano pronti, – e si va. Laila non ha fatto in tempo a scaldarsi, ma pazienza, sembra d'un tratto sveglissima, vigile, gli occhi che dardeggiano, lontani, quasi privi di espressione. Zoe si sente premere addosso il fianco di Leda, che le sussurra: – Hai paura?

No che non ha paura, Zoe. È la prova generale. E non avrà paura nemmeno fra tre giorni perché è cosí che vanno le cose, la paura viene schiacciata dall'eccitazione, evapora all'istante davanti alla meravigliosa promessa del palcoscenico (un palcoscenico vero, quello dell'Accademia) con il suo vasto spazio da conquistare.

La porta del palcoscenico è dipinta di nero, segnalata da una luce rossa. Quando la luce è accesa, non si può entrare. Adesso è spenta. Clarice la spalanca, sussurrando: – Dentro, dentro –. Al di là è tutto nero, le pareti di muro e quelle pareti di stoffa che si chiamano quinte. Quando le ha viste per la prima volta, anni fa, Zoe si è scoperta a seguirne tutta la lunghezza, su, su, fino al groviglio di tubi e impalcature altissime che è il soffitto di un teatro, e le sono quasi venute le vertigini. Poi si è abituata a conoscerle, a distinguere il suo posto, e a stare nella posizione giusta, in modo che da fuori, dalla platea, nessuno possa vedere le ballerine che si preparano al loro momento.

Lydia, l'altra assistente di scena, le chiama in silenzio, facendo frullare le mani e mimando con la bocca: «Qui, qui». Bisogna fare piano, e con le loro scarpette morbide viene bene. Sono le grandi, quelle con le punte, a dover trattenere i passi perché non si trasformino in una pioggia di tonfi. Ecco, questa è la loro quinta. In scena ci sono i bambini del terzo e del quarto corso, insieme, in una specie di zoo pacifico che comprende topi e gatti. Balzano e rimbalzano come palline, e Madame Olenska grida, al di sopra della musica: – Le fragole! Le fragole! – No, non è impazzita: le fragole sono gli adesivi fluorescenti che sono stati appiccicati al palcoscenico in modo da segnalare in modo chiaro dove ciascun gatto e ciascun

topo si deve fermare. Solo che nella foga dei balzi è difficile atterrare sempre al posto giusto, e qualcuno proprio
non ci riesce. Ma al terzo grido: – Le fragole! – tutti tornano al loro posto.

Ecco, hanno finito. I topi di là, i gatti di qua, le quinte sono pronte a inghiottirli. Il tendone accanto al loro si
agita, spostato dall'impeto di un branco di felini. Zoe se
lo ritrova contro la guancia per un attimo: ha un odore
profondo, di stoffa e di polvere. Buono.

E adesso tocca a loro. I primi quattro accordi delle
Gymnopedies sono partiti e dall'altra parte entrano i maschi. Ciascuno prende posizione (loro hanno le mele, non
le fragole). Adesso tocca veramente a loro. La prima della
fila è Estella, la piú piccolina. L'ultima è Leda, ovviamente. Via.

– Presto, bambine, tocca a voi! – sussurra Lydia, dan-
do una spinta a Estella.

Dalle quinte, Zoe vede il gran pozzo nero della platea
e la striscia brillante dei riflettori che orla il palco.
Nient'altro. La musica sale, è la loro musica, la sua.
Adesso basta andare, seguirla, lasciarsi prendere, e tutto
andrà com'è giusto che vada: benissimo.

FINALE

Anche lo spettacolo è andato benissimo. Laila non si è addormentata, Leda e Lucas hanno avuto una coda di applausi tutta per loro, e il gran saluto di congedo, quando tutta la scuola, fila dopo fila, corso dopo corso, si schiera in scena e si accendono le luci anche in platea e all'improvviso gli applausi si moltiplicano salendo da quella folla che si scatena e grida e sorride, è stato strepitoso, come sempre. Con l'idea di fare parte di qualcosa di grande e speciale.

Dopo, quando è calato il sipario, è calata su tutti loro anche una specie di quiete strana, e non c'è stato bisogno che nessuno ricordasse loro che il silenzio è una buona regola anche quando lo spettacolo è finito.

Davanti al camerino hanno trovato il maestro Fantin ad aspettarle. Aveva un mazzo di piccole rose rosa, senza spine, e via via che passavano ne ha data una a ciascuna,

ogni volta con un breve sorriso. Zoe è entrata per ultima e lui ha detto: — Oh, guarda, me ne sono rimaste tre. Immagino che siano tutte per te.

Lei ha sorriso prendendole e ha fatto un gran inchino, questa volta soltanto per lui. Lui ha risposto con un cenno del capo, una specie di sí silenzioso.

Mentre si cambiavano, nella confusione di tutine e calze e scarpe e magliette, qualcuno ha bussato alla porta. — Avanti, — ha detto Laila, per tutte.

Era Madame Olenska.

— Sono soddisfatta, — ha detto, facendo scorrere lo sguardo su tutte, una a una. — Vi siete comportate molto bene —. E poi: — Ci vediamo lunedí a lezione. Ripasso generale della sbarra per l'esame, naturalmente.

Quando ha chiuso la porta, Anna le ha fatto il verso: — Ripasso generale, — ha detto, col naso per aria e gli occhi semichiusi.

— Credo che sia il suo modo di dire che siamo state brave, — ha detto Zoe. — Non aveva mai detto una cosa simile, prima. Alla fine degli altri saggi, intendo.

— Hai ragione, — ha detto Laila. E poi uno starnuto

pazzesco, da far tremare l'aria. Fine dell'effetto della pastiglia.

Sono scoppiate tutte a ridere.

Zoe è rimasta per ultima, a lei piace fare le cose con calma. Leda le ha detto: — Ti aspetto fuori, — e lei ha annuito, infilandosi le scarpe da tennis. Si è guardata un'ultima volta allo specchio, che era rimasto tutto suo, e si è stupita di vedersi ancora truccata, gli occhi resi piú profondi da quel poco di ombretto grigio perla, la bocca un po' troppo rossa nonostante tutto. Sopra la polo blu e i jeans quella faccia non sembrava nemmeno la sua, pareva sbagliata, stonata. Cosí ha preso dalla borsa un fazzolettino struccante (dono di Sara, lei ne ha una confezione intera e li usa tutte le sere) e se l'è passato dappertutto. Alla fine la pelle era fresca e un po' umida, e c'era un leggero profumo di rosa nell'aria.

Le rose. Zoe si è messa la borsa a bandoliera e per ultima cosa ha raccolto dal tavolo le tre rose del maestro Fantin. Guardandosi indietro prima di uscire, si è accorta che alcune compagne nella fretta avevano dimenticato la loro. Cosí il mazzetto è cresciuto.

Fuori c'era ancora il sole (in fondo erano solo le sei di sera, una sera di quasi estate) che filtrava allegro, a macchie,

tra le foglie degli alberi alti. Lucas le ha detto:
— Andiamo a mangiare la pizza insieme, ma prima possiamo giocare al parco, — e ha indicato gli altri compresi nel programma: Leda e sua mamma, tutta la sua famiglia e quella di Zoe. Piú Jonathan con mamma, papà e una sorellina coperta di lentiggini, coi capelli piú rossi del mondo.

Zoe ha detto: — Io non posso giocare. Ho le rose.

— Te le tengo io, — si è fatta avanti Sara. — Giuro che non le sciupo.

E Zoe gliele ha affidate e ha rincorso Lucas, che era già avanti con Leda, Jonathan, Marta e la bambina rossa.

Sara ha mantenuto la promessa. Le sei piccole rose spuntano da un vasetto bianco sul comodino di Zoe. Le sembra una cosa molto da grande, molto femminile, avere delle rose cosí vicine, tutte sue. Una ha cominciato a perdere i petali: due sono caduti sul piano di vetro. Sono belli anche loro.

Zoe le guarda: al buio sembra che brillino. Non è buio pesto, lei lascia sempre qualche striscia della tapparella, e la luce della strada basta ad accendere le sue rose, cosí chiare e luminose.

È contenta. L'anno di scuola non è ancora finito, c'è l'esame, là davanti: un altro ostacolo da superare. Un'altra prova da affrontare. Un altro obiettivo da raggiungere. Per andare avanti, a passo di danza, verso quello che verrà.

Scarpette Rosa

Scarpette Rosa

1 A PASSO DI DANZA

Zoe, dieci anni, frequenta fin da piccola la scuola di ballo del Teatro Accademia. La piú importante della città, una delle piú famose del mondo. Studiare danza sul serio non è facile, soprattutto con una direttrice severa come Madame Olenska. Ma ci sono gli amici: Leda, che sta crescendo un po' troppo in fretta; Lucas, con la sua passione sfrenata per la danza contemporanea; e Jonathan, il nuovo arrivato, timido ma tanto carino...

2 CHE CARATTERINO!

All'Accademia è arrivato un nuovo insegnante di danza di carattere. Si chiama Kaj e le sue lezioni sono appassionanti. Meno male, perché fuori dall'aula Zoe deve vedersela con i capricci e i piccoli tradimenti di Leda. Per fortuna c'è Agnese, che sa esserle vicina anche a distanza; e Jonathan, che forse sta diventando qualcosa di piú di un amico; e il maestro Fantin, l'anziano musicista; e Demetra, la sarta magica che sa creare tutú incantevoli...

Scarpette Rosa

3 AMICI VECCHI E NUOVI

Madame Olenska annuncia che sarà assente per alcuni mesi. Al suo posto arriva una nuova insegnante, Alicia Gimenez, e le lezioni di danza assumono per Zoe un sapore tutto nuovo. Intanto Lucas affronta la sua grande occasione: un provino per una parte nel nuovo spettacolo dei Momix. Ma non tutto fila liscio all'Accademia: ci sono i problemi di Aliai, e le solite perfidie di Laila...

4 SULLE PUNTE!

Madame Olenska annuncia alla classe di Zoe che potrà cominciare ad andare sulle punte in anticipo rispetto al programma. È come crescere troppo in fretta: una cosa che dà le vertigini e spaventa insieme. Mentre Jonathan inventa la prima coreografia e prova le prime gelosie della sua vita, Zoe affronta un mucchio di dubbi importanti: ha davvero talento per la danza? E se la risposta è no, che cosa farà della sua vita?

Finito di stampare nel mese di agosto 2005
per conto delle Edizioni EL
presso LEGOPRINT S.p.A., Lavis (Tn)

VIENI A VISITARE
IL NOSTRO SITO

WWW.EDIZIONIEL.COM

CI POTRAI TROVARE
TUTTO IL NOSTRO CATALOGO,
LE NOVITÀ E LE ANTICIPAZIONI,
INTERVISTE E GIOCHI,
SCREENSAVER, DESKTOP,
CARTOLINE DA SCARICARE
E TANTO ALTRO!